Reading & Interpretation
大家写小书·马恩经典著作新读

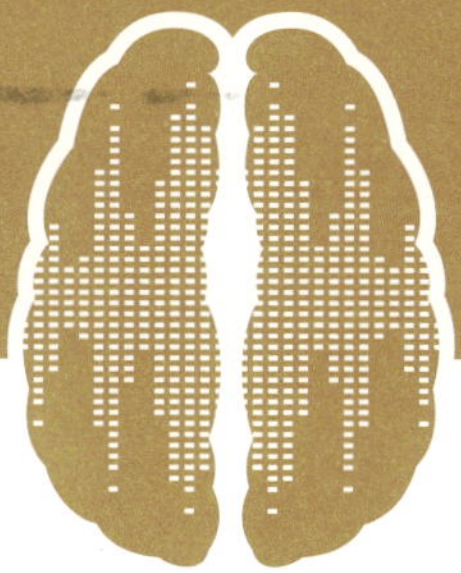

丛书主编 顾保国

“历史之谜”解答的开启之作

《1844年经济学哲学手稿》新读

张彦 著

红旗出版社

红旗出版社
HONGQI PRESS
推动进步的力量

图书在版编目(CIP)数据

"历史之谜"解答的开启之作：《1844年经济学哲学手稿》新读 / 张彦著. —北京：红旗出版社，2020.3(2021.4重印)
(大家写小书 / 顾保国主编. 马恩经典著作新读)
ISBN 978-7-5051-5012-6

Ⅰ.①历… Ⅱ.①张… Ⅲ.①《1844年经济学哲学手稿》-马克思著作研究 Ⅳ.①A811.21

中国版本图书馆CIP数据核字(2019)第252104号

书　　名　**"历史之谜"解答的开启之作**
《1844年经济学哲学手稿》新读
著　　者　**张　彦**

责任编辑	丁　鋆	丛书统筹	丁　鋆
责任校对	曾晓蓉	特约编审	希　言　沈云才
责任印务	金　硕	装帧设计	戴　影
出版发行	红旗出版社		
地　　址	北京市沙滩北街2号	邮政编码	100727
	杭州市体育场路178号	邮政编码	310039
编 辑 部	0571-85310806		
E-mail	rucdj@163.com	发 行 部	0571-85311330
图文排版	杭州兴邦电子印务有限公司		
印　　刷	浙江全能工艺美术印刷有限公司		
开　　本	889毫米×1194毫米　1/32		
字　　数	66千字	印　　张	3.25
版　　次	2020年3月第1版	印　　次	2021年4月第3次印刷
ISBN 978-7-5051-5012-6		定　　价	20.00元

欢迎品牌畅销图书项目合作　　联系电话:0571-85311330

从经典著作中汲取斗争智慧

（丛书序）

习近平总书记在2019年秋季学期中央党校（国家行政学院）中青年干部培训班开班式上发表重要讲话时指出，“斗争精神、斗争本领，不是与生俱来的。领导干部要经受严格的思想淬炼、政治历练、实践锻炼，在复杂严峻的斗争中经风雨、见世面、壮筋骨，真正锻炼成为烈火真金。要学懂弄通做实党的创新理论，掌握马克思主义立场观点方法，夯实敢于斗争、善于斗争的思想根基，理论上清醒，政治上才能坚定，斗争起来才有底气、才有力量”。

经典著作体现了马克思主义立场观点方法，不仅包含着明确的问题意识、经典的分析方法，而且包含着斗争精神。这种斗争精神既体现了事物本身的复杂性，也体现了人类智慧的深刻性。虽然马克思主义诞生在一个半世纪之前，但迄今依然有着强大的生命力，被历史和现实一再证明是科学的理论，这其中一个重要原因就在于其科学的理论思维和强大的斗争精神。马克思主义经典著作是经典作家探索真理的丰富思想结晶，彰显了马克思主义经典作家坚定的政治立场、政治信仰和献身共产主义事业的政治品格和伟大的斗争精神。习近平总书记在纪念马克思诞辰200周年大会上的讲话中指出：“共产党人要把读马克思主义经典、悟马克思主义原理当作一种生活习惯、当作一种精神追求，用经典涵养正气、淬炼思想、升华境界、指导实践。”这就要求我们，提高学习马克思主义理论的能力，学思践悟，做马克思主义的信奉者、继承者、实践者和发展者。当严峻形势和斗争任务摆在面前时，骨头要硬，要敢于出击，敢战能胜。

近年来，马克思主义经典阅读热潮悄然兴起，再次凸显马克思主义经典著作编译的重要意义和时代价值。习近平总书记在中央政治局第五次集体学习时指出：“要深化经典著作研究阐释，推进经典著作宣传普及，让理论为亿万人民所了解所接受，画出最大的思想同心圆。”准确理解习近平总书记这一重要论述，需要我们深刻把握研究、阐释经典著作的时代要求，进一步加强经典著作宣传普及，使广大人民群众更深刻地感悟马克思主义的真理力量和斗争精神。

恩格斯曾说：“一个民族要想站在科学的最高峰，就一刻也不能没有理论思维。”理论思维能力不是天生的，而是后天培养和训练出来的。马克思主义经典著作是人类思想的精华，它深刻揭示了自然界、人类社会、人类思维发展的普遍规律。习近平总书记在2011年中央党校春季学期第二批入学学员开学典礼上强调，“阅读经典著作，本身就是增长知识、开阔眼界、增加思想深度和训练思维方式的过程，就是培养高瞻远瞩的战略洞察力和脚踏实地的工作作风的过程”。广大党员干部要提高斗争能力，必须高度重视通过学习马克思主义经典著作来提高自己的理论思维能力。

当今世界正处于百年未有之大变局，我们党领导的伟大斗争、伟大工程、伟大事业、伟大梦想正在如火如荼地进行，改革发展稳定任务艰巨繁重，我们面临着难得的历史机遇，也面临着一系列重大风险考验。各级领导干部要想在这些风险、困难和挑战面前赢得优势、赢得主动、赢得未来，就必须坚定马克思主义信仰和共产主义理想，不断提高运用马克思主义分析和解决实际问题的能力，不断提高运用科学理论指导我们应对重大挑战、抵御重大风险、克服重大阻力、化解重大矛盾、解决重大问题的能力，以更宽广的视野、更长远的眼光来思考把握未来发展面临的一系列重大问题，这就迫切要求领导干部自觉增强学习和运用马克思主义的本领，掌握马克思主义的斗争精神。广大党员干部特别是领导干部要学好用好《共产党宣言》等马克思主义经典著作，坚持学以致用、用以促学，原原本本学，熟读精思、学深悟透，熟练掌握马克思主义立场观点方法，不断提高马克思主义理论素养。因此，我们要系统掌握和努力实践马克思主义理论，真正把马克思主义这个看家本领学精悟透运用好，提升自己的斗争能力，并推动马克思主义不断发展。

提高把思想理论转化为实践的斗争能力，画出最大的思想同心圆，是坚持和发展马克思主义的现实要求，也是实现中华民族伟大复兴这一中国梦的思想基础。马克思主义经典著作卷帙浩繁，对于广大干部、群众来说，学习要突出重点。我们提倡读马列经典著作，并不是一定要求每位干部去全面读《马克思恩格斯全集》《列宁全集》或《马克思恩格斯文集》《列宁专题文集》。学马列要精，要管用。“精”，是指要读经典著作，经典篇目；“管用”，就是要结合具体、实际工作，有针对性、有目的地学以致用。例如，从总体上把握马克思主义，需要读

《马克思主义的三个来源和三个组成部分》;掌握无产阶级的革命理论,要读《共产党宣言》;了解马克思主义哲学世界观,要读《哲学笔记》《唯物主义和经验批判主义》《反杜林论》《路德维希·费尔巴哈和德国古典哲学的终结》;掌握马克思主义政治经济学,要读《政治经济学批判》《资本论》等。因此,我们第一辑选择了十本原著,组织国内有关院校的权威专家撰写导读,并由红旗出版社公开出版这批学习马克思主义经典著作的权威性辅导教材。

马克思主义是认识世界、改造世界的强大思想武器。在人类思想史上,没有一种思想理论像马克思主义那样对人类产生了如此广泛而深远的影响。原原本本学习和研读马克思主义经典著作,不断深化对共产党执政规律、社会主义建设规律、人类社会发展规律的认识,不断提升思想水平和斗争能力,真正把马克思主义这个看家本领学精悟透运用好,我们就能更有定力、更有自信、更有智慧,在习近平新时代中国特色社会主义思想指导下,实现"两个一百年"奋斗目标,确保中华民族伟大复兴的巨轮始终沿着正确航向破浪前行,胜利驶向光辉的彼岸。

红旗文稿杂志社社长 顾保国

2019年11月

目　录

前 言

《1844年经济学哲学手稿》(以下简称《手稿》)是马克思1844年4月至8月在法国巴黎撰写的一部手稿,是马克思生前未出版,且除马克思本人外,连“第二提琴手”恩格斯对这部手稿的写作、内容等情况都知之甚少,其余人更无从得知《手稿》的存在。直至1932年,苏联学者在整理、编写德文版《马克思恩格斯全集》时将其全文收录并正式发表,这部著作才得以问世。

《手稿》是马克思青年时期的作品,也是体现他思想发生转变的一部关键著作。在写作《手稿》之前,马克思在担任《莱茵报》编辑期间开始接触到对物质利益问题表达意见的“难事”,这推动了他对黑格尔国家哲学和法哲学的批判研究。在对国家、法、政治的研究和批判中,马克思愈发认识到国家、法、政治的根源,并不在于其自身或精神之中,而在于它们赖以产生的物质生活关系之中。这一认识又促使他转向深入研究和批判政治经济学。因此,在写作《手稿》之时,马克思实际上正处于世界观转变的关键时期,其思想之复杂性也体现在《手稿》对哲学、政治经济学的深刻批判之中。在写于《手稿》之后、生前出版的《〈政治经济学批判〉序言》中,马克思曾回顾道,自己在这一时期孜孜探寻科学的世界观,其动力就是为了解决这一“使我苦恼的疑问”,用《手稿》中的方式表述,就是为了解决“历史之谜”。

在《手稿》中，马克思站在唯物主义和共产主义的立场上，研究了大量哲学、政治经济学、共产主义的经典文献，并在批判、吸收旧观点的基础上提出了自己新的哲学、政治经济学和共产主义观点。马克思考察了古典经济学产生和发展的过程，批判性地改造了德国古典哲学中的异化概念，详尽地论证了异化劳动的当代及前代表现、出现根源及其扬弃方式，并以此展开了对资产阶级政治经济学和资本主义制度的批判。同时，由于此书是一部未完成的手稿，其中的内容多是马克思为研究政治经济学等问题、厘清自身研究思路所写，而不是一本供读者阅读的出版著作；加之马克思的字迹潦草、文中运用的哲学术语晦涩难懂，难免会对读者准确把握《手稿》中马克思本来的思想造成困难，也因此，自《手稿》出版以来，对其的考证、解释和争论是持续不断的。

本书通过梳理《手稿》的诞生背景与内容梗概，提炼了一个核心论题——“异化劳动与私有财产”、一个重要主题——“共产主义与人的解放”，展现了马克思写作《手稿》的基本脉络，分析了它在马克思主义发展史中的地位、作用及对当代中国社会的重要意义。马克思一生笔耕不辍，留下了诸多伟大的作品，《手稿》仅为其中一本，但其包含着对共产主义科学基础的初次阐发，标志着马克思思想史上一个重要的转折点，需要我们一读再读、深悟静思、反复品味。

Reading & Interpretation

大家写小书·马恩经典著作新读

第一章

一项早期的探索:《1844年经济学哲学手稿》的诞生

《1844年经济学哲学手稿》(以下简称《手稿》)是卡尔·马克思1844年4月至8月在法国巴黎撰写的一部未完成的手稿。1843年底,马克思在巴黎开始研究政治经济学①,他尝试从唯物主义和共产主义的立场来批判资产阶级的政治经济学,并形成一部批判资本主义经济制度和资产阶级政治经济学的著作。然而,由于中途还有《神圣家族》的写作计划和其他事务,马克思暂时推迟了政治经济学的研究,直到1849年马克思迁居伦敦,这一研究才得以继续进行。马克思生前这些手稿并未出版,直至1932年,《手稿》全文的德文版才正式出版。《手稿》一经出版便引起巨大反响,对学界了解和理解马克思早期思想产生了深刻影响。

马克思的《手稿》,是青年马克思首次将哲学、政治经济学和共产主义理论结合起来,剖析资本主义经济制度和资产阶级政治经济学的著作,是马克思主义形成过程中的一部重要著作。

一、《手稿》的写作背景

《手稿》的诞生是马克思思想发展的必然结果,同时也受到时代环境的影响。1843年10月底,马克思迁居巴黎。在那

① 在马克思的文本中,他常同时提及"国民经济学"和"政治经济学"两个名词,为避免引起歧义,本文在表述时统一为"政治经济学",引注的马克思原文翻译出处为"国民经济学"或"政治经济学"的,则不便改动,特此说明。实际上,"国民经济学"和"政治经济学"在马克思那里几乎是同义词。西方经济学在诞生之初,就是关于资本主义生产方式以及与之相适应的生产关系和交换关系的学说。当然,马克思并不仅仅满足于研究"国民经济学"或"政治经济学",而是进一步对历史各阶段的生产、交换关系展开了研究。

里，马克思亲自参加了工人的革命活动。他在实践活动中，愈发认识到物质力量对社会发展的决定意义。此时，他的思想和哲学立场已发生转变。为了进一步揭开“市民社会”的秘密、解决“苦恼的疑问”，马克思决定系统地研究政治经济学。因此，《手稿》的诞生有工人运动的实践推动，也与马克思哲学思想的转变相关。深入研究政治经济学的需要直接催生了《手稿》这一重要文本。

（一）工人运动的实践推动

19世纪40年代的欧洲，资本主义经济在工业革命的推动下迅速发展，同时，资本主义社会的基本矛盾也日益显露，工人阶级在资本主义制度下遭受着严重的剥削和压迫。弗里德里希·恩格斯在《英国工人阶级状况》中生动具体地描述了工人恶劣的工作环境、生存条件和繁重的工作任务，即工人群体的生存境况是恶劣、无望的：“伦敦的东头是一个日益扩大的泥塘，在失业时期那里充满了无穷的贫困、绝望和饥饿，在有工作做的时候又到处是肉体和精神的堕落。”[①]备受资本家压迫的工人逐渐萌发了反抗意识，在法国、英国和德国等地，先后爆发了以工人阶级为主要力量的罢工和武装起义等运动，工人阶级已经作为一支独立的政治力量登上世界历史舞台。但是，这些运动先后失败了——法国里昂工人起义因武装力量悬殊被政府镇压；英国宪章运动经过三次重要斗争，最终遭政府解散也宣告失败；德国西里西亚纺织工人起义遭到政府骑兵和炮兵的镇压。同时，一个重大的基本事实在这些失败的工

①《马克思恩格斯选集》第1卷，北京：人民出版社，2012年，第75页。

人运动中凸显出来，即工人运动迫切地需要一种科学的革命理论的指导。

1843年，马克思开始到巴黎居住，他不仅与其他思想家展开了思想上的交流，更深入到工厂，参加了工人运动。在恩格斯等人的直接影响下，马克思首次接触了政治经济学。也是在这样的背景之下，马克思认为一种新的科学的革命理论——能够深入资本主义制度本身、指导工人运动的理论必须从政治经济学的研究当中得出。他在与恩格斯和德国早期工人运动著名领导人斐迪南·拉萨尔的通信中多次说道，“应当首先出版的著作是对经济学范畴的批判”①，因为政治经济学是理解资本主义运行方式的一把钥匙，资本主义的内部联系一旦被科学理解，那么“相信现存制度的永恒必要性的一切理论信仰，还在现存制度实际崩溃以前就会破灭”②。而马克思之所以认为这种新理论必然从政治经济学的研究而非从哲学研究或者政治学研究中得出，与这一时期他的哲学思想的转变也有着极为密切的联系。

知识链接

★ 未完成的手稿 ★

“未完成”是《手稿》的一个重要特点，“未完成”既是指形式上的未完成，也指内容、思想上的不完整。从《手稿》的外在形式上看，它不是一本已经能够付诸出版的著作，而是由若干片段构成，更像是

①《马克思恩格斯选集》第4卷，北京：人民出版社，2012年，第431页。

②《马克思恩格斯选集》第4卷，北京：人民出版社，2012年，第474页。

一本著作的初稿，尽管内容十分丰富，但章节编排却很杂乱，且在马克思、恩格斯生前，都没有提到过这部《手稿》；另外，由于马克思在写下《手稿》时仅26岁，他的思考可能还不够成熟，《手稿》中的内容和思想与成熟时期的著作相比，还是存在差别的，特别是《手稿》中的异化劳动理论和人本主义思想在后期正式出版的著作中已很少出现。但不可否认的是，尽管《手稿》是一部“未完成”的作品，它也是作为哲学家、政治经济学家的马克思和作为革命家的马克思同时出现、结合在一起的一部伟大著作。

★ 欧洲三大工人运动 ★

19世纪30年代至40年代间，法国、英国和德国的无产阶级开展了声势浩大的独立政治运动。1831年和1834年，法国里昂爆发了两次丝织工人的武装起义，提出提高工资和废除君主制度、建立共和政体的要求；1842年，英国伦敦的工人发起了《人民宪章》的立法请愿，这场在欧洲革命风暴推动下的宪章运动一直持续至1848年；1844年，普鲁士王国的西里西亚纺织工人举行了罢工和起义。尽管欧洲三大工人运动最终都失败了，但在运动中，无产阶级明确地提出了独立的经济、政治要求，这标志着无产阶级已经作为一支独立的政治力量登上了历史舞台。

（二）哲学思想的重要转变

马克思写作《手稿》的时期，也是他的思想观点和哲学立场一个非常重要的转变时期。

19世纪40年代，以格奥尔格·威廉·弗里德里希·黑格尔为代表的德国古典哲学在德国占据统治地位，马克思也深受黑格尔哲学的影响。在青年黑格尔派的积极分子布鲁诺·鲍威尔的建议下，马克思确定了博士论文的选题。在马克思的博士论文《德谟克利特的自然哲学和伊壁鸠鲁的自然哲学的差别》中，可以发现，他所提出的"自由理念"追求的自由正是黑格尔"自我意识"的某种体现。

博士毕业后，马克思在《莱茵报》担任编辑。这一时期青年黑格尔派从最初的宗教批判逐渐转向了政治批判，马克思受青年黑格尔派影响，也极为关注社会现实问题，极力支持政论自由。也正是在《莱茵报》时期，物质利益问题第一次进入马克思视野，但很快，马克思便面临了一件"难事"——对物质利益问题发表意见。"难事"主要有三：(1)莱茵省议会关于林木盗窃和地产析分的讨论；(2)官方同《莱茵报》就摩塞尔流域农民状况展开的论战；(3)关于自由贸易和保护关税的辩论。

这些问题之所以是"难事"，在于马克思发现，他信奉的理论无法解释和解决现实的冲突，因为这些问题都是以一种"矛盾的形式"、以一种"理性的法"和"私人利益"相对立的方式进入他的视野的。对这些问题的思考，使马克思原本的世界观受到了尖锐的挑战。[①]当然，也有观点认为，马克思提到的"难事"并不是他在《莱茵报》时期遇到的对物质利益问题的思考使他对原本信奉的黑格尔哲学产生了动摇，而是因为当时马克思还不了解政治经济学，缺少这方面的研究，因而难以对物质利益这一关涉经济的问题发表意见。[②]

---

① 参见吴晓明：《形而上学的没落——马克思与费尔巴哈关系的当代解读》，北京：人民出版社，2006年，第422页。

② 参见段忠桥：《〈莱茵报〉时期使马克思苦恼的"疑问"是什么》，《学术研究》2008年第6期。

这两种观点都有合理之处。在《手稿》及其之后的研究和著作中，马克思的确展现了研究政治经济学的旨趣，同时他也对黑格尔的法哲学和国家哲学展开了批判。这主要是因为《莱茵报》时期，马克思对现实问题的阐释框架依然局限于法律层面，他试图用法律的理性来解释、规定现实利益的冲突，因而促使他进一步研究黑格尔的法哲学。但是，正是在深入研究黑格尔法哲学的过程中，马克思得出了与黑格尔相反的结论。

黑格尔认为国家决定市民社会，他在《法哲学原理》中提出，国家是纯粹理性的化身，是伦理理念的现实，是客观精神。“个人本身只有成为国家成员才具有客观性、真理性和伦理性”①，家庭和市民社会则是由“爱”和“物质利益”等低级因素简单联系起来的，国家决定家庭和市民社会。

在《手稿》中，马克思借助路德维希·费尔巴哈的唯物主义，运用主谓颠倒的方法批判黑格尔的法哲学和思辨哲学。在黑格尔那里，国家是主词，市民社会是谓词，马克思则要将国家和市民社会这一对主谓关系颠倒过来，他提出家庭和市民社会一起决定着国家。在马克思的文本中，市民社会有两个含义，一是资产阶级社会，二是一切社会经济关系的总和。在马克思看来，一个国家和法的观念及其变化原因的研究，不应当在这些概念中去寻找，而应当到它们赖以产生的经济基础中去寻找，而政治经济学恰恰就是研究市民社会的“解剖学”。

---

①［德］黑格尔：《法哲学原理》，范扬、张企泰译，北京：商务印书馆，1961年，第254页。

随着马克思开始反思并批判黑格尔的思辨哲学，他的哲学思想和哲学立场发生了重大转变，他打破了思辨哲学的传统，实现了思想上的重大变革。马克思越来越深刻地认识到，以往的德国古典哲学始终认为“观念、想法、概念迄今一直支配和决定着现实的人，现实世界是观念世界的产物”[①]，而现实却与之相反，是人的物质利益决定着思想和法的观念的发展。也因此，他在1843年底抵达巴黎后，开始系统地研究政治经济学。

（三）深入研究政治经济学的需要

马克思在担任《莱茵报》编辑时期，对经济问题进行了初步关注。他明确表示：“1842—1843年间，我作为《莱茵报》的编辑，第一次遇到要对所谓物质利益发表意见的难事。莱茵省议会关于林木盗窃和地产析分的讨论……是促使我去研究经济问题的最初动因。”[②]随后，他在巴黎和布鲁塞尔研究政治经济学，并写下了一系列手稿。

在马克思写作《手稿》之前，他还在《德法年鉴》上发表了两篇重要的文章，即《论犹太人问题》和《〈黑格尔法哲学批判〉导言》。同时，恩格斯也向《德法年鉴》投了两篇重要的论文，即《政治经济学批判大纲》和《英国工人阶级状况》。恩格斯在深入现实考察英国工人阶级生活现状和英国经济状况后，有了两个重要发现：一个是英国工人遭受苦难的根源正是当时鼓吹的资本主义制度；另一个是要消灭这种剥削、压迫工人阶级的制度，仅依靠伦理、道德的谴责是无济于事的，而必须深

①《马克思恩格斯文集》第1卷，北京：人民出版社，2009年，第510页。
②《马克思恩格斯选集》第2卷，北京：人民出版社，2012年，第1—2页。

入到经济中去研究资本主义经济运行的内在矛盾与内在规律，从而找到解决方式。马克思看到“弗里德里希·恩格斯批判经济学范畴的天才大纲”[①]后，决定将其与《〈黑格尔法哲学批判〉导言》和《论犹太人问题》一起放到《德法年鉴》的创刊号刊登出来。之后他还与恩格斯不断地通信往来，交换彼此的观点与意见。恩格斯的很多观点与马克思不谋而合，于是他们决定共同阐明他们的见解并对从前的哲学信仰加以清算，共同写作了《德意志意识形态》。而在此之后，欧洲的革命运动打断了马克思的政治经济学研究工作，直到1850年他才返回伦敦，在大英博物馆继续研究政治经济学。

二、《手稿》中丰富的思想底色

《马克思恩格斯文集》第一卷第一版的序言中说：《手稿》是马克思对涉及哲学、政治经济学和共产主义理论的各种历史文献和思想观点进行系统研究和批判的最初成果[②]，这是中国马克思主义研究者对《手稿》主要内容的基本界定。在《手稿》中，马克思围绕异化劳动、私有制给工人阶级带来的桎梏以及只有共产主义才能解放工人阶级和整个人类社会的基本思想，提出了一系列新的哲学观点、政治经济学观点和共产主义观点。之后，马克思进一步依据这些观点形成了系统的哲学、政治经济学和共产主义理论。

马克思的《手稿》是在吸取、批判多种学派和多种思想基础上形成的。马克思对政治经济学进行了认证性的批判研

①《马克思恩格斯选集》第2卷，北京：人民出版社，2012年，第3页。

②《马克思恩格斯文集》第1卷，北京：人民出版社，2009年，第2页。

究；同时，除了英、法社会主义者的著作外，也“利用了德国社会主义者的著作”[①]；最后他还特别提出，他计划写作的《手稿》最后一章“对黑格尔的辩证法和整个哲学的剖析”是极为重要和“完全必要的”[②]。因此，马克思对黑格尔哲学、政治经济学和德国社会主义的剖析和批判等内容较充分地构成了《手稿》的思想底色。

（一）对黑格尔的辩证法和整个哲学的剖析

马克思在研究政治经济学之时，哲学立场已经发生了转变。他认为，对政治经济学的批判，“全靠费尔巴哈的发现给它打下真正的基础”[③]。从费尔巴哈开始的实证的人道主义的批判否定了神学，使人成为最高的对象。当然，随着马克思思想的发展，他在《关于费尔巴哈的提纲》中又扬弃了费尔巴哈的唯物主义。

如果说在写作《手稿》之前，马克思还深受青年黑格尔派的影响的话，那么此时，马克思已经开始批判青年黑格尔派，准备与青年黑格尔派“决裂”了。马克思认为，青年黑格尔派作为“批判的神学家”仍然无法摆脱黑格尔的影响，他们对现实的批判还仅仅是停留于词句的理论的批判，他犀利地讽刺道：“青年黑格尔派只要同意识的这些幻想进行斗争就行了。”[④]正是出于对青年黑格尔派的不满以及批判黑格尔辩证法的必要性，马克思决定进一步深入研究和批判黑格尔的辩

① 马克思：《1844年经济学哲学手稿》，北京：人民出版社，2018年，第4页。

② 马克思：《1844年经济学哲学手稿》，北京：人民出版社，2018年，第4页。

③ 马克思：《1844年经济学哲学手稿》，北京：人民出版社，2018年，第4页。

④《马克思恩格斯选集》第1卷，北京：人民出版社，2012年，第145页。

证法和整个哲学。然而，马克思显然未能如愿完成他的这一计划。这一时期，他主要只对黑格尔的法哲学和国家哲学进行了批判，在他之后的研究和著作之中，特别是在研究政治经济学的方法中，仍然显现出黑格尔对他的影响，甚至在《资本论》中他公开承认“我是这位大思想家的学生”[①]。可以这样理解，马克思在《手稿》中专门安排一个章节，且特别放在最后一章来研究、剖析“黑格尔的辩证法和整个哲学”，一方面，是因为对黑格尔辩证法进行批判，需要在研究方法和内容上发现黑格尔辩证法的本质、提炼出黑格尔辩证法的合理内核，以“超越”黑格尔；另一方面，马克思本身也有完成《手稿》后继续批判黑格尔哲学的写作计划，但中途马克思的思想又发生了转变，这个计划最终未能实现。

（二）对政治经济学基本概念的批判

在担任《莱茵报》编辑时期，马克思初步认识到在市民社会中，物质利益比代表理性的法更具有决定性的意义。1843年，马克思开始研究政治经济学，他阅读了大量古典政治经济学家的著作，如亚当·斯密、大卫·李嘉图和约翰·穆勒等，并在《手稿》中对他们的思想进行了分析。

《手稿》的结构简单来说就是序言、笔记本I、笔记本II、笔记本III。[②]在笔记本I中，马克思重点关注了工资、资本、利润、地租几个政治经济学的基本概念，并分别从工人和资本家两个角度解读了工资、资本、利润、地租的本质。他提出，在政治经济学家那里，劳动仅仅是一个谋生活动，如果从古典政治经

① 《马克思恩格斯文集》第5卷，北京：人民出版社，2009年，第22页。

② 参见本书第21页关于笔记本不同编译版本的表述。

济学的各个前提（如工资等）出发，剥离那些掩盖在财产的物质运动的本质上的“神秘”术语，那么就可以发现——“工人降低为商品，而且降低为最贱的商品；工人的贫困同他的生产的影响和规模成反比；竞争的必然结果是资本在少数人手中积累起来，也就是垄断的更惊人的恢复；最后，资本家和地租所得者之间、农民和工人之间的区别消失了，而整个社会必然分化为两个阶级，即有产者阶级和没有财产的工人阶级。”[①]政治经济学家的进步之处在于他们发现了生产、分配、交换和消费的规律，但并未深入说明这些运动之间的本质联系。马克思从国民经济的事实出发，提出工人的劳动最终将生产出与自己对立的东西，政治经济学则掩盖了这种“异化劳动”。对异化劳动和私有财产的研究，马克思比较明显地以费尔巴哈式的人本主义逻辑进行思考，他认为：“共产主义是私有财产的即人的自我异化的积极的扬弃……这种共产主义，作为完成了的自然主义，等于人道主义，而作为完成了的人道主义，等于自然主义。”[②]可以看出，至少在《手稿》这一文本中，“类存在物”“人”等词具有同样的含义，都是在当时的“市民社会”即“私有财产”的运动中异化了的本质，这种逻辑显然是深受费尔巴哈影响的。[③]

（三）充分利用德国社会主义者的著作

马克思曾在《手稿》序言中明确说明，《手稿》的写作利用

---

① 马克思：《1844年经济学哲学手稿》，北京：人民出版社，2018年，第46页。

② 马克思：《1844年经济学哲学手稿》，北京：人民出版社，2018年，第77—78页。

③ 参见周嘉昕：《马克思著作中的“人”——基于马克思思想发展的概念史考察》，《学术月刊》2015年第10期。

了德国社会主义者威·魏特林、莫·赫斯等人的著作，他列举了魏特林为正义者同盟撰写的纲领性著作《现实的人类和理想的人类》和《和谐与自由的保证》以及赫斯的三篇匿名文章《社会主义和共产主义》《行动的哲学》和《唯一和完全的自由》。尤其是赫斯的观点，与马克思的观点极为相似，其带有宗教色彩的拯救社会的学说对马克思的人类解放观点影响较大。同时，恩格斯的思想，如《政治经济学批判大纲》《国民经济学批判大纲》也极大地影响了马克思的研究。恩格斯用实证的方法分析了资产阶级政治经济学的起源和发展，并提出私有制是资本主义社会一切恶的源头，必须消灭私有制、彻底改革社会制度才能消除资本主义社会的恶。恩格斯实证的研究方法推动了马克思从哲学思辨的研究转向对政治经济学的实证研究。

《手稿》较为充分地吸收了这些研究者的思想，同时马克思也对德国社会主义者的思想进行了批判。除此之外，当时的马克思已经能够熟练使用法文，他阅读了维克托·孔西得朗、皮埃尔-约瑟夫·蒲鲁东和夏尔·傅立叶等法国学者的文献，还通过阅读英国社会主义者罗伯特·欧文等的德译或法译本著作，了解了英、法社会主义者的相关观点。只是在写作《手稿》时期，他对这些观点、著作还不是特别熟悉，因此没有充分利用，但在《共产党宣言》中，马克思对以往的社会主义思想进行了系统的批判和总结。

三、《手稿》的重要价值

可以说，《手稿》的写作在当时是不为人知的，马克思从未与他人提起写作的具体内容，恩格斯仅仅知道马克思在进行政治经济学研究，但对写作内容也毫不知情。在马克思逝世后，大量的手稿遗留了下来，根据他的遗嘱，他的女儿爱琳娜·马克思和恩格斯一起承担了整理手稿的工作。但是，由于这些手写材料数量过于庞大，直至恩格斯逝世也没能够完全整理出来。在此之后，随着一系列变故，马克思的遗稿被一分为二，一部分由其后人继承，另一部分则交给了德国社会民主党，其后整理出版马克思、恩格斯手稿的计划也一再搁浅。

直到俄国十月革命胜利后，苏联学者大卫·鲍里索维奇·梁赞诺夫在列宁的支持下成立马克思恩格斯研究院，苏联学者在收集马克思、恩格斯手稿的同时，整理、编辑、出版了《马克思恩格斯全集》及一些单行本。但是，随着纳粹的掌权和第二次世界大战的全面爆发，马克思、恩格斯的珍贵手稿又陷入了危险境地，第二次世界大战结束后才逐渐被运回位于阿姆斯特丹的国际社会史研究所。目前，有近三分之二的马克思、恩格斯原始手稿收藏于该所。

最初，《手稿》的部分内容是以俄文的形式出版的。梁赞诺夫将《手稿》第三部分整理后，收录于俄文版《马克思恩格斯文库》的第三卷，当时的标题为《〈神圣家族〉的预备著作》。1932年，苏联马克思恩格斯研究院编著的德文版《马克思恩格斯全集》第三卷第一次全文收录了《手稿》；同年，德国社会民主党合编的《马克思，历史唯物主义的早期著作》第一卷也刊出了《手稿》的另一个德文版本。德文版《马克思恩格斯全集》第三卷传播较为广泛、影响力较大。1956年，《手稿》第一个中文全译本（何思敬译）由人民出版社出版。1978年以来，

《手稿》中文版共出版了5个单行本(1979年;1985年;2000年;2014年;2018年),1个《马克思恩格斯文集》版本(2009年第1卷)和2个《马克思恩格斯全集》版本(1979年第42卷;2002年第3卷)。

而《手稿》之所以在马克思逝世多年后才得以出版,主要是因为手稿的整理、翻译和出版工作较为困难。由于手稿没有标题,当时,马克思的写作也较为随意,加上字迹潦草、纸上还有咖啡渍和烟头烧焦的痕迹,辨认手稿内容的工作极为艰难;另外,由于手稿的保存条件较差,本身缺失严重,尤其是笔记本II的内容所剩无几,且上下文之间也不连贯,对理解手稿的内容又造成了非常大的阻碍;最后,文稿行文中带有大量的黑格尔、费尔巴哈式哲学术语,使得整个文章极其拗口,种种困难导致《手稿》在80多年后才得以真正问世。但也正因其不完整的内容、凌乱的文风和思想内容的丰富性,引发了学界对其进行深入考证的兴趣。

马克思从1843年底在巴黎开始政治经济学研究,后来,学界就把这一时期马克思所写的大量手稿统称为“巴黎手稿”。“巴黎手稿”主要有两部分内容,一部分是他阅读政治经济学著作后所做的笔记,分布在9册笔记本上;另一部分就是《手稿》。根据写作的时间顺序,马克思在1843年至1844年间进行了“巴黎手稿”的写作,《手稿》则是在1844年4月至8月间完成的。

《手稿》的翻译出版工作较为困难,但它发表后对东西方马克思主义研究产生了重要影响。诸多学者在研究这部手稿后,从根本上转变了对马克思的研究态度和方向,如美国著名实用主义哲学家悉尼·胡克将《手稿》出版后引发的人道主义马克思主义研究热潮评为“马克思的第二次降世”。他是这样说的：“马克思在第二次降世的时候，不是以《资本论》的作者、风尘仆仆的经济学家的姿态出现，也不是以革命的无裤党、具有鼓舞力量的《共产党宣言》的作者出现的。他穿着哲学家和道德家的外衣走出来，宣告关于超越阶级、政党或派别的狭隘界限的人类自由的消息。”[①]时至今日，《手稿》仍是马克思文献中被引用最多、同时也是最难懂的文本之一。这部手稿标志着马克思在其思想发展过程中完成了一次巨大的、综合的、艰难的创造，可以说它是马克思的新世界观萌芽前的最后一个具有决定意义的环节。

尽管手稿的内容比较杂乱，但马克思的思路异常清晰：现实社会中存在的普遍问题就是异化劳动问题，它的解决方案就是实践，它的根本出路就是人类的解放和共产主义。马克思主义基本原理的三大基本组成部分，分别是哲学、政治经济学和科学社会主义，在这部《手稿》中，这三个部分第一次全部出现，并且作为一个有机的整体结合在一起。正如马克思称《精神现象学》是“黑格尔哲学的真正诞生地和秘密”[②]一样，此后的马克思通过继续深入研究《手稿》中的“劳动”概念，重新构建了自身世界观和方法论的基石，因此《手稿》也可以被称之为马克思主义的“真正的诞生地和秘密”。

在写作《手稿》之前，马克思在《论犹太人问题》和《〈黑格

① 复旦大学哲学系现代西方哲学研究室编译：《西方学者论〈一八四四年经济学—哲学手稿〉》，上海：复旦大学出版社，1983年，第5页。

② 马克思：《1844年经济学哲学手稿》，北京：人民出版社，2018年，第94页。

尔法哲学批判〉导言》中首次提出了“人的解放”这一命题，同时提出了无产阶级的历史使命就是人的解放。恩格斯评价，这两篇文章标志着马克思在思想上的两个转变彻底完成，即从唯心主义向唯物主义的转变、从革命民主主义向共产主义的转变。也就是说，写作《手稿》时马克思在思想上已经完成了两个转变。同时紧随《手稿》之后，1845年马克思和恩格斯合作写了《德意志意识形态》。学界普遍认为，《德意志意识形态》的出版，标志着马克思新世界观和唯物史观的诞生。

因此，《手稿》中的思想具有一种过渡的性质，它的写作位于马克思思想上的两个转变完成之后和马克思新世界观诞生的前夜，这决定了《手稿》在马克思思想史研究中的地位。

延伸阅读

(1) 马克思:《1844年经济学哲学手稿》，北京:人民出版社，2018年。

(2) [英]戴维·麦克莱伦:《马克思思想导论》，北京:中国人民大学出版社，2008年。

(3)《马克思恩格斯选集》第1卷，北京:人民出版社，2012年。

深度思考

(1)《1844年经济学哲学手稿》缘何是一部“未完成”的著作?

(2) 马克思是怎样从思辨哲学的研究转向政治经济学的研究的?

(3)《1844年经济学哲学手稿》的主要思想来源有哪三部分?

Reading & Interpretation

大家写小书·马恩经典著作新读

第 二 章

一个经典的文本:《1844年经济学哲学手稿》的梗概

一、《手稿》的基本结构

《1844年经济学哲学手稿》是马克思的一部未完成的手稿，包含三个以德文书写的笔记本原稿。笔记本I现存36页，笔记本II仅存4页，笔记本III存有68页。马克思在这三个笔记本中对涉及哲学、政治经济学和共产主义理论的各种历史文献和思想观点进行了系统的批判性考察，提出了新的哲学、政治经济学和共产主义理论观点。

（一）《手稿》的文本结构

《手稿》自1932年问世以来，存在多个不同的编译版本，文本结构上各有不同，具有代表性的两种文本结构分别是以马克思写作《手稿》的理论逻辑编排的"逻辑编排版"和以马克思写作《手稿》的原稿顺序排版的"原始顺序版"。《马克思恩格斯全集》历史考证版第一版（$MEGA^1$）就采用了"逻辑编排版"文本结构，我国1979年出版的《马克思恩格斯全集》和《1844年经济学哲学手稿》（刘丕坤译）单行本主要参照了$MEGA^1$，同样采用了"逻辑编排版"文本结构。1982年，《马克思恩格斯全集》历史考证版第二版（$MEGA^2$）出版，第一次以两种编排方式同时发表《手稿》，即在"逻辑编排版"之外同时附有"原始顺序版"。2009年开始我国刊行的《手稿》单行本也开始同时收录这两种结构的文本。以下对《手稿》文本结构的介绍，主要参照的是"原始顺序版"的文本结构，并对两种排版文本结构的区别作一些说明。

"原始顺序版"手稿总共包含三个笔记本。笔记本I每一页都有马克思写作时标注的罗马数字页码（I–XXXVI），其中马克思写有文字的是1-27页(I-XXVII),其余为空白页。第一部分按“工资”“资本的利润”和“地租”分三栏并列竖写下来,其中也有两栏或一栏书写,其余栏空白的情况。从第22页(XXII)起是第二部分“异化劳动和私有财产”的内容,马克思又恢复了通栏书写。而在“逻辑编排版”中,笔记本I第一部分三栏同时书写的内容被编排成顺序排列,且在文本中注出了原文页码。

笔记本II仅存4页,即最后的第40—43页(XL-XLIII)。从页码可以看出,笔记本II原本有着丰富详实的内容,却遗憾地遗失了前面的39页,仅存的4页是论述“私有财产的关系”的内容。

笔记本III现存68页,同样有马克思写作时用罗马数字标注的页码(I-LXVIII),这一笔记本马克思书写至第43页(XLIII),有文字的共41页[①],余下为空白。笔记本III内容比较庞杂,马克思除了标注页码之外,还用罗马数字1—9(I-IX)将其分为了9个文本,主要涉及“私有财产和劳动”“私有财产和共产主义”“对黑格尔的辩证法和整个哲学的批判”等内容,其中大部分论述是对《手稿》笔记本II的补充。在“逻辑编排版”中,编者依据马克思写作的逻辑和内容对原始手稿进行了重新编排并添加了小标题,原本位于笔记本III中第39、40页(XXXIX-XL)的序言也被移至全书最前,其具体的区别参见下表。

① 马克思在手稿的页码中漏编了第23、25页(XXIII、XXV)。

表2-1　笔记本Ⅲ两种编排方式文本结构示意表

<table>
<tr><td rowspan="10">笔记本Ⅲ</td><td colspan="2">原始顺序版</td><td>逻辑编排版</td></tr>
<tr><td>［Ⅰ］</td><td>第1—3页（补入笔记本Ⅱ第36页）</td><td>［私有财产和劳动］：第1—3页</td></tr>
<tr><td>［Ⅱ］</td><td>第3页（补入笔记本Ⅱ第39页）</td><td rowspan="5">［私有财产和共产主义］：第3—11页
［对黑格尔的辩证法和整个哲学的批判］：第11—13页、17、18、22、24、26—34页
［私有财产与需要］：第14—17页
［增补］：第18、19—21、34页</td></tr>
<tr><td>［Ⅲ］</td><td>第3、4—17页（补入笔记本Ⅱ第39页）</td></tr>
<tr><td>［Ⅳ］</td><td>第17、18页</td></tr>
<tr><td>［Ⅴ］</td><td>第18、19—21页</td></tr>
<tr><td>［Ⅵ］</td><td>第22、24、26—34页</td></tr>
<tr><td>［Ⅶ］</td><td>第34—38页</td><td>［分工］：第34—38页</td></tr>
<tr><td>［Ⅷ］</td><td>第39、40页（序言）</td><td>（移至全书最前）</td></tr>
<tr><td>［Ⅸ］</td><td>第41—43页</td><td>［货币］：第41—43页</td></tr>
</table>

（二）《手稿》的文本逻辑

《手稿》是马克思一部带有思想过渡性质的作品，笔记式的引文和对当时许多哲学、政治经济学观点的复述同马克思自己的批判与论述交织在一起，给人以杂乱之感。加之笔记本部分内容的遗失与残缺，许多文字只保留了片段，更加大了理解《手稿》的难度。

在笔记本Ⅰ中，马克思初步提出了《手稿》想要研究的理论问题，即异化劳动问题。在这一部分中，马克思的主旨是借助对政治经济学中有关工资、资本的利润和地租的观点的反诘式审视，从经济关系上弄清资产阶级社会的阶级结构和阶级关系，正如马克思在笔记中所说“我的结论是通过完全经验的、以对国民经济学进行认真的批判研究为基础的分析得出的”[①]。

① 马克思：《1844年经济学哲学手稿》，北京：人民出版社，2018年，第3页。

在此基础上，马克思提出了包含四重规定性的“异化劳动”问题，论述了资本主义社会中存在的诸多异化现象。

笔记本II虽然残缺严重，但从仅存的4页内容中我们仍然可以做一些关于其全貌的推测，即笔记本II是马克思对笔记本I中异化劳动问题的进一步思考。仅存的4页内容中涉及的论述有：对混淆资本与劳动本质的观点进行了批判，揭示了劳动与资本的对立；对私有财产形式和发展的分析，论证了资本与地产的对立；概括了劳动与资本矛盾运动及其结局。由此可以大致推测出：笔记本II是马克思在对政治经济学批判的基础上，进一步探讨了私有财产与劳动之间的关系，对异化劳动问题进行了更深入的考察。

笔记本III由9个文本组成，各个文本在内容上有着明显的区别，但就其思想逻辑来看，它是对笔记本I和笔记本II所做工作的补充，其中包括了关于共产主义的共7个要点的论述，这个过程中还涉及对黑格尔哲学的清算。在笔记本III中，马克思集中论述了作为《手稿》核心内容的共产主义思想，对共产主义的本质与共产主义的实现途径进行了具体阐释。

二、《手稿》的基本内容

通过前面介绍可知，《手稿》是由三个笔记本组成的，在手稿的“逻辑编排版”中，为了便于读者更好地理解，各个笔记本中相对独立的片段也被编者加上了小标题，属于笔记本III的序言部分被编者移至了全书的最前面。

（一）序言

序言部分主要包括两个方面：一方面是马克思的研究和写作计划，另一方面是马克思对当时德国主要哲学派别的态度和立场。

1. 马克思的研究和写作计划

在序言里，马克思一开始就交待了自己的研究和写作计划。在1844年2月的《德法年鉴》上，马克思发表了《〈黑格尔法哲学批判〉导言》一文，并且准备继《导言》之后，继续批判黑格尔的法哲学和国家哲学。但是马克思到了巴黎以后，经过对政治经济学的研究，进一步认识到，只有在剖析资本主义社会经济规律的基础上，才可能正确认识资本主义社会的本质，才可能科学地认识资本主义社会的法、道德、政治等社会现象，从而找到无产阶级的革命道路。所以，马克思说，“把仅仅针对思辨的批判同针对不同材料本身的批判混在一起，十分不妥”[①]。此外，由于当时马克思所要探讨的论题是丰富多样的，把全部材料压缩在一本著作中，也是不合适的。因此，马克思“打算用不同的、独立的小册子来相继批判法、道德、政治等等，最后再以一本专门的著作来说明整体的联系、各部分的关系，并对这一切材料的思辨加工进行批判”[②]。在马克思的计划中，《手稿》应当是一本政治经济学著作这一庞大写作计划中的一个部分，主题是对资产阶级政治经济学和资本主义经济制度的批判。马克思说：“在本著作中谈到的国民经济学同国家、法、道德、市民生活等等的联系，只限于国民经济学本

① 马克思：《1844年经济学哲学手稿》，北京：人民出版社，2018年，第3页。

② 马克思：《1844年经济学哲学手稿》，北京：人民出版社，2018年，第3页。

身专门涉及的这些题目的范围。”①

2. 马克思对当时德国主要哲学派别的态度

在序言中，马克思还谈到了他对当时德国主要哲学派别的态度。首先，马克思谈到了“魏特林的著作”“赫斯的几篇论文”和“恩格斯的《国民经学批判大纲》”。马克思认为他们的著作是“丰富而有独创性的”，从中可以看出，这些著作与文章同马克思《手稿》的写作是有着直接思想联系的。在随后的一段话中，马克思高度赞扬了费尔巴哈哲学，称“费尔巴哈著作是继黑格尔《现象学》和《逻辑学》之后包含着真正理论革命的唯一著作”②。一方面，马克思认为费尔巴哈的唯物主义哲学为他进行政治经济学批判打下了基础；另一方面，马克思肯定了费尔巴哈哲学思想的功绩。最后，马克思概括性地批判了鲍威尔为首的“神圣家族”的主观唯心主义哲学。鲍威尔认为自己的批判哲学已超出了黑格尔哲学，但在马克思看来，“这是一种必然的不彻底性，因为即使是批判的神学家，毕竟还是神学家”③。鲍威尔哲学的出发点仍然坚持黑格尔唯心主义哲学的基本观点，本质上是对黑格尔哲学的非批判态度。对此，马克思批判鲍威尔：“他或者不得不从作为权威的哲学的一定前提出发，或者当他在批判的过程中以及由于别人的发现而对这些哲学前提产生怀疑的时候，就怯懦地和不适当地抛弃、撇开这些前提。”④同时，马克思还揭露了鲍威尔等人采用的诡

---

① 马克思：《1844年经济学哲学手稿》，北京：人民出版社，2018年，第3页。

② 马克思：《1844年经济学哲学手稿》，北京：人民出版社，2018年，第4页。

③ 马克思：《1844年经济学哲学手稿》，北京：人民出版社，2018年，第4页。

④ 马克思：《1844年经济学哲学手稿》，北京：人民出版社，2018年，第4页。

辩手法，“仅仅以一种消极的、无意识的、诡辩的方式来表明他对这些前提的屈从和对这种屈从的恼恨”[①]。

知识链接 ……………………………………………………

★ 神圣家族 ★

19世纪40年代初，马克思和恩格斯开始了密切合作，先后完成了从唯心主义到唯物主义、从革命民主主义到共产主义的转变。而以布鲁诺·鲍威尔为首的一批青年黑格尔派分子在思想上彻底蜕化为陈腐的、庸俗的主观唯心主义，在政治上完全堕落为思想保守、政治反动的宗派小集团。

1844年8月底，马克思和恩格斯在巴黎第二次会面，为了批判青年黑格尔派的理论观点和政治主张，揭露这种有害的反动的思想，捍卫和阐述自己的新的唯物主义和共产主义的观点，他们决定共同撰写著作《神圣家族》。在书中，马克思和恩格斯谑称鲍威尔兄弟及其同道为“神圣家族”，讽刺他们在群众面前妄自尊大，好像凌驾于尘世之上的耶稣及其门徒在人们中传道一样。

（二）笔记本I

笔记本I主要体现马克思从政治经济学理论出发，对资本主义社会阶级结构的分析与批判，主要包含两个部分、四个章节的内容。其中第一部分包含三个章节，就是马克思分为三栏竖写下来的“工资”“资本的利润”和“地租”，这是马克思对资本主义社会中的无产阶级、资本家和地主三个阶级的分

① 马克思：《1844年经济学哲学手稿》，北京：人民出版社，2018年，第4—5页。

析。另一部分是马克思对政治经济学总的批判与异化劳动的论述，这一部分在“逻辑编排版”中，编者为其加上了“异化劳动和私有财产”的小标题。

1. 工资、资本的利润、地租

马克思的政治经济学研究是从对英国古典政治经济学的研究与批判开始的。在笔记本I的第一部分中，马克思仿照斯密的方法，按照工资、利润、地租这三种不同分配形式解释了无产阶级、资本家和地主这三个阶级的区别，并在这三种分配形式的对比研究中，论证了资本主义社会阶级斗争的必然趋势和无产阶级的历史地位与作用。

在“工资”这一栏中，马克思首先指出工人的工资决定于资本家和工人之间敌对的斗争。在这里，马克思赞同斯密的观点，即在工人与资本家的斗争中，胜利总是属于资本家的。同时马克思进一步揭示了隐藏在这些现象背后的原因，即劳动和资本、土地的分离。因为工人除了劳动所得，既无地租也无资本利息，因此马克思认为：“资本、地租和劳动的分离对工人来说是致命的。”[①]随后，马克思考察了工人在三种不同社会状态下的境况，得出了“在社会的衰落状态中，工人的贫困日益加剧；在增长的状态中，贫困具有错综复杂的形式；在达到完满的状态中，贫困持续不变”[②]的结论，这与政治经济学家提出的“工人的利益”从来不同“社会的利益”相对立的观点完全相悖。因此，马克思指出，资产阶级经济学的理论自身存在着错误和局限，即“劳动在国民经济学中仅仅以谋生活动的形式

① 马克思：《1844年经济学哲学手稿》，北京：人民出版社，2018年，第6页。

② 马克思：《1844年经济学哲学手稿》，北京：人民出版社，2018年，第11页。

出现"[①]，不把劳动看作是人的本质的体现，蓄意掩盖了资本主义社会两大阶级的矛盾斗争，为资产阶级利益辩护。

在"资本的利润"这一栏中，马克思初步探索了资本的本质及其运动规律。首先，马克思探讨了资本，他援引法国经济学家让·巴蒂斯特·萨伊及斯密关于资本的论述，对资本这一重要范畴从不同视角进行说明。在斯密看来，人拥有财富即是拥有对"市场上存在着的他人劳动的一切产品的控制权"[②]，马克思在斯密的观点上进一步指出："资本是对劳动及其产品的支配权力。资本家拥有这种权力并不是由于他的个人的特性或人的特性，而只是由于他是资本的所有者。"[③]在这里，马克思已经不仅把资本视作物，而且当成社会关系来理解，展示了从经济基础的角度解释社会关系的重要思想。随后，马克思进一步提出"资本就是积累的劳动"的论断，揭示了资本的本质特征。最后，马克思还在这一栏中初步探索了资本的运动规律，指出追逐利润是资本家进行投资的唯一动机，而资本家为积累更多的资本开展竞争则是资本运动的必然形式。

在"地租"这一栏中，马克思首先考察地租是如何形成的，指出"地租是通过租地农场主和土地所有者之间的斗争确定的"[④]，着重讨论了封建地产集中化和资本化的过程。随后，马克思通过"关于地产的分割或不分割的争论"，提出"扬弃整个土地私有制"。在这个过程中，马克思以英国大地产的

① 马克思：《1844年经济学哲学手稿》，北京：人民出版社，2018年，第13页。
② 马克思：《1844年经济学哲学手稿》，北京：人民出版社，2018年，第19页。
③ 马克思：《1844年经济学哲学手稿》，北京：人民出版社，2018年，第19页。
④ 马克思：《1844年经济学哲学手稿》，北京：人民出版社，2018年，第34页。

发展为例，论述了资本主义所有制战胜封建地产所有制的历史必然性。

2. 异化劳动与私有财产

这一部分是马克思结束关于“工资”“资本的利润”和“地租”的论述之后的一个重要片段，主要包括对政治经济学总的批判和对异化劳动问题的分析两个方面的内容。

首先，马克思对政治经济学的立场和方法做了总的批判。马克思认为：政治经济学的基本立场是“把资本家的利益当作最终原因”，并批判它“不考察工人（劳动）同产品的直接关系而掩盖劳动本质的异化”①。马克思还批判了政治经济学所采用的方法——“把私有财产在现实中所经历的物质过程，放进一般的、抽象的公式，然后把这些公式当做规律”②，因此它也无法真正理解这些规律。随后，马克思对劳动异化进行了分析，得出了劳动异化的四个规定性内容，即（1）劳动者同他们的产品相异化；（2）劳动者同他的生产活动本身相异化；（3）劳动者同自己的类本质相异化；（4）人同人相异化。

（三）笔记本II

笔记本II仅存4页，现存内容主要介绍了资本主义社会的阶级关系，其核心内容是劳动与资本的关系。

在笔记本I中，马克思已经从土地所有制的发展考察了封建土地所有制转化为资本主义所有制的规律。在笔记本II中，马克思对该问题进行了更高层次的阐发，将其纳入历史语

① 马克思：《1844年经济学哲学手稿》，北京：人民出版社，2018年，第49页。

② 马克思：《1844年经济学哲学手稿》，北京：人民出版社，2018年，第46页。

境中进行考察，进而阐释资本战胜地产的历史必然性。在这个过程中，马克思还深刻揭示出了历史发展背后蕴藏的私有财产的产生与运动。他在笔记本Ⅱ中写道："私有财产的关系是劳动、资本以及二者的关系。"[①]这个观点已初步显示马克思把资本主义生产关系作为政治经济学研究基础的想法。这个关系中的要素和必然经历的运动是：二者直接的或间接的统一、二者的对立、二者各自同自身对立。其运动的结果则是"劳动和资本的这种对立一达到极端，就必然是整个关系的顶点、最高阶段和灭亡"[②]，即资本主义制度的灭亡。

（四）笔记本Ⅲ

笔记本Ⅲ的内容相对比较庞杂，根据马克思在手稿上做的标记，其主体内容应当是马克思对笔记本Ⅱ第36页（XXXVI）和第39页（XXXIX）所做的补充。除此以外，还有一个篇幅较小的"增补"和两个分别论及"分工"和"货币"的片段。"增补"部分是对资本主义生产发展特点的补充说明，"分工"片段是对资产阶级经济学家关于分工问题的观点的评论，"货币"片段讨论了货币的性质与货币异化问题。

1. 对笔记本Ⅱ第XXXVI页的补充

马克思补入笔记本Ⅱ第36页（XXXVI）的是他从劳动出发对私有财产的解释，这一补充在"逻辑编排版"中有一个编者加上去的"私有财产和劳动"的小标题。在这一部分，马克思根据私有制形式的变化，概括了古典政治经济学的演变和发展，认为政治经济学是"私有财产的现实能量和现实运动的产

① 马克思：《1844年经济学哲学手稿》，北京：人民出版社，2018年，第68页。
② 马克思：《1844年经济学哲学手稿》，北京：人民出版社，2018年，第63页。

物”[①]，并对资本与地产的对立运动进行了补充分析。

2. 对笔记本II第XXXIX页的补充

马克思补入笔记本II第39页（XXXIX）的是他围绕共产主义展开的共七个要点的论述。“逻辑编排版”的编者将这七个要点分为三个部分并分别加上了小标题。要点（1）至要点（5）被视作一部分，加上了“私有财产和共产主义”的小标题；要点（6）和要点（7）则分别作为一部分，加上了“对黑格尔的辩证法和整个哲学的批判”和“私有财产和需要”的小标题。

在第一部分“私有财产和共产主义”中，马克思论述了涉及共产主义的5个要点，分别是（1）共产主义的最初形态，即“粗陋的共产主义”；（2）仍具有政治性质的共产主义；（3）马克思对共产主义的本质的理解；（4）私有财产在人的本质的异化以及异化的消除中所起的作用，它们与物质生产的关系；（5）马克思共产主义思想的历史观基础。

第二部分“对黑格尔的辩证法和整个哲学的批判”是马克思论述共产主义的要点（6）。为什么讨论共产主义会涉及对黑格尔哲学的讨论？马克思在序言中提及了他的想法：“我认为，本著作的最后一章，即对黑格尔的辩证法和整个哲学的剖析，是完全必要的，因为当代批判的神学家不仅没有完成这样的工作，甚至没有认识到它的必要性。”[②]而我们结合马克思对共产主义前五个要点的分析，就会发现，马克思所说的“必要性”即是对劳动实践历史观理论来源的说明，黑格尔“只是为历史的运动找到抽象的、逻辑的、思辨的表达，这种历史还不

① 马克思：《1844年经济学哲学手稿》，北京：人民出版社，2018年，第70页。

② 马克思：《1844年经济学哲学手稿》，北京：人民出版社，2018年，第4页。

是作为既定的主体的人的现实历史，而只是人的产生的活动、人的形成的历史”[①]。而马克思正是在对黑格尔哲学批判的基础上，运用唯物主义的观点找到了“整个所谓世界历史不外是人通过人的劳动而诞生的过程”[②]的明证。

第三部分“私有财产和需要”是马克思论述共产主义的第(7)要点。在这一要点中，马克思主要阐述了“需要”在资本主义社会的异化状态以及在共产主义社会异化所需要的扬弃，认为人的需要的丰富性使人的本质得到证明与充实。

三、《手稿》的基本观点

异化劳动与共产主义是马克思在《手稿》中最为重要的两大论述，是马克思回答“历史之谜”的核心内容，也是共产主义的科学基础的直接思想体现。

（一）异化劳动

在《手稿》的笔记本I中，马克思从四个方面对劳动异化的规定性进行了明确阐述，即劳动者与他们的劳动产品的关系、劳动者与自身劳动活动的关系、人与自己的类本质的关系和人与人的关系。

劳动者同他们的产品相异化。这就是说劳动者所生产的产品，作为一种不依赖于劳动者的异己的存在物，成为独立力量同他相对立，也就是说，劳动者的产品成了一种统治劳动者的力量。马克思说：“工人生产的财富越多，他的生产的影响和规模越大，他就越贫穷。工人创造的商品越多，他就越变成廉

① 马克思：《1844年经济学哲学手稿》，北京：人民出版社，2018年，第94页。
② 马克思：《1844年经济学哲学手稿》，北京：人民出版社，2018年，第89页。

价的商品。物的世界的增值同人的世界的贬值成正比。”[①]在资本主义的条件下，劳动者创造的产品会转化成资本，因此工人生产的产品越多，就越受到资本的统治，即“工人在劳动中耗费的力量越多，他亲手创造出来反对自身的、异己的对象世界的力量就越强大，他自身、他的内部世界就越贫乏，归他所有的东西就越少”[②]。

劳动者同劳动本身相异化。异化劳动的这种表现在于“劳动对工人来说是外在的东西，也就是说，不属于他的本质”[③]，这种劳动不是自愿的劳动，而是工人维持本身的肉体生存的条件，“因此，他在自己的劳动中不是肯定自己，而是否定自己，不是感到幸福，而是感到不幸，不是自由地发挥自己的体力和智力，而是使自己的肉体受折磨、精神遭摧残”[④]。马克思通过人对异化劳动过程的否定性评价，揭示了资本主义条件下工人的劳动活动完全丧失了劳动本身的愉悦感，成为一种不能自主的对象化活动。

人同自己的类本质相异化。在马克思看来，“种的类特性就在于生命活动的性质，而自由的有意识的活动恰恰就是人的类特性”[⑤]。人正是因为具有有意识的生命活动，才与动物区别开来。而“异化劳动，由于(1)使自然界同人相异化，(2)使人本身，使他自己的活动机能，使他的生命活动同人相异化，因此，异化劳动也就使类同人相异化；对人来说，异化劳动

① 马克思:《1844年经济学哲学手稿》,北京:人民出版社,2018年,第47页。
② 马克思:《1844年经济学哲学手稿》,北京:人民出版社,2018年,第48页。
③ 马克思:《1844年经济学哲学手稿》,北京:人民出版社,2018年,第50页。
④ 马克思:《1844年经济学哲学手稿》,北京:人民出版社,2018年,第50页。
⑤ 马克思:《1844年经济学哲学手稿》,北京:人民出版社,2018年,第53页。

把类生活变成维持个人生活的手段。第一，它使类生活和个人生活异化；第二，它把抽象形式的个人生活变成同样是抽象形式和异化形式的类生活的目的”[①]。异化劳动颠倒了人同自己的类本质的关系。

以上三个方面的直接结果就是人同人相异化。在马克思看来，当人与自身相对立的时候，也同他人相对立，即“凡是适用于人对自己劳动、对自己的劳动产品和对自身的关系的东西，也都适用于人对他人、对他人的劳动和劳动对象的关系”[②]。而人的自我异化是通过人与人之间的关系表现出来的，“一般地说，人对自身的任何关系，只有通过人对他人的关系才能得到实现和表现”[③]。马克思对异化具体表现的逐层分析，实际上是研究资本主义社会生产过程中社会关系的生成，进而得出劳动异化的最终体现是资本主义社会中工人和资本家之间的深刻对立的结论。

（二）共产主义

在《手稿》的笔记本Ⅲ中，马克思在分析批判各种空想社会主义和共产主义学说的基础上，运用自己对政治经济学研究的成果，以关于“异化劳动”及其在资本主义条件下发展的必然趋势为根据，论证了共产主义的基本特征及其历史必然性。

在马克思看来，“共产主义是对私有财产即人的自我异化的积极的扬弃，因而是通过人并且为了人而对人的本质的真

① 马克思：《1844年经济学哲学手稿》，北京：人民出版社，2018年，第52页。
② 马克思：《1844年经济学哲学手稿》，北京：人民出版社，2018年，第54页。
③ 马克思：《1844年经济学哲学手稿》，北京：人民出版社，2018年，第54—55页。

正占有；因此，它是人向自身、也就是向社会的即合乎人性的人的复归，这种复归是完全的复归，是自觉实现并在以往发展的全部财富的范围内实现的复归。这种共产主义，作为完成了的自然主义，等于人道主义，而作为完成了的人道主义，等于自然主义，它是人和自然界之间、人和人之间的矛盾的真正解决，是存在和本质、对象化和自我确证、自由和必然、个体和类之间的斗争的真正解决。它是历史之谜的解答，而且知道自己就是这种解答”[①]。这是马克思关于共产主义的总阐述，其前半部分构成了共产主义的基本概念，后半部分则说明了共产主义的哲学基础和历史价值。

共产主义是对私有财产即人的自我异化的积极的扬弃。马克思认为，历史的全部运动是共产主义现实的产生活动，而“整个革命运动必然在私有财产的运动中，即在经济的运动中……”[②]因此，马克思提出对人的本质的异化的扬弃就是消灭私有财产，就是消灭私有制。只有消灭了私有制，人才能从资本主义社会人剥削人、人压迫人的现象中解放出来，实现共产主义对人的本性的真正复归。因此，共产主义就有以下三点互相联系的基本规定：(1)它是通过人并且为了人而对人的本质的真正占有；(2)它是人向自身、向社会的人的复归；(3)这种复归是完全的、自觉的而且保存了以往发展的全部财富的。

共产主义是人和自然界之间、人和人之间的矛盾的真正解决。一方面，在资本主义社会中，人们改造自然的劳动生产

---

① 马克思：《1844年经济学哲学手稿》，北京：人民出版社，2018年，第77—78页。

② 马克思：《1844年经济学哲学手稿》，北京：人民出版社，2018年，第78页。

表现为自我异化，而在共产主义社会、被积极扬弃的私有财产的前提下，人才能消除人同自己无机的身体——自然界的分裂，成为合乎自然的人，同时自然界也才能第一次成为合乎人性的自然。所以马克思说共产主义是"作为完成了的自然主义，等于人道主义，而作为完成了的人道主义，等于自然主义"[①]。另一方面，由于消灭了私有制，由私有财产的关系所形成的人与人之间、人与社会之间的尔虞我诈都失去存在的前提，人与人的关系才能从私有财产的关系的束缚中解放出来，人与社会之间的对立才能被消除。

共产主义是历史之谜的解答。"历史之谜"是费尔巴哈使用的术语，指的是在从私有制社会客观矛盾的发展中得出共产主义必然性的结论。在这里，马克思使用它来表述共产主义的哲学意义。在资本主义条件下，由于劳动的异化，造成了人与自然、人与人、人的存在和人的本质、对象化和自我确证、自由和必然、个体和类的矛盾斗争。只有在共产主义条件下，对私有制彻底、积极的扬弃，这六大矛盾才能真正解决；也只有在共产主义条件下，人们才能正确地把握历史规律，自觉地创造历史，人类历史才能真正从必然王国走向自由王国。值得注意的是，马克思在《手稿》中并没有把共产主义作为人类社会的形态，而是把共产主义看作实现社会主义的一种运动和一个环节，他说："共产主义是作为否定的否定的肯定，因此，它是人的解放和复原的一个现实的、对下一段历史发展来说是必然的环节。共产主义是最近将来的必然的形态和有效

① 马克思：《1844年经济学哲学手稿》，北京：人民出版社，2018年，第78页。

的原则，但是，这样的共产主义并不是人类发展的目标，并不是人类社会的形态。”①

延伸阅读

（1）杨适：《马克思〈经济学-哲学手稿〉述评》，北京：人民出版社，1982年。

（2）《西方学者论〈1844年经济学—哲学手稿〉》，上海：复旦大学出版社，1983年。

（3）张一兵、姚顺良：《两条逻辑的互相消长还是共同消解？——析青年马克思〈1844年经济学哲学手稿〉的内在结构》，《理论探讨》2006年第3期。

深度思考

（1）马克思是如何从劳动异化问题进入到对“历史之谜”的回答的？

（2）当今中国社会存不存在“异化”？主要体现为哪些社会现象？

① 马克思：《1844年经济学哲学手稿》，北京：人民出版社，2018年，第90页。

Reading & Interpretation
大家写小书·马恩经典著作新读

第 三 章

一个重要的论题：异化劳动与私有财产

《手稿》是马克思早期乃至马克思一生中最重要的著作之一，其中蕴含着马克思理论体系的关键思想。从《手稿》内容来看，马克思在文中详尽描述和论证了异化与异化劳动的当代及前代表现、出现根源及其扬弃方式。马克思对异化劳动和私有财产的世纪追问是《手稿》的核心与重要论题。

一、“异化”的语义学探讨

以时间为基点，“异化”一词的训诂可从两方面考察：第一方面从词汇的历史起源考察词汇的远古内涵，第二方面对该词汇在晚近时代的内涵发展展开研究。由于学科和主题限制，下文中第二方面的考察主要探讨“异化”的哲学含义。

（一）“异化”的词源考略

我国学者对“异化”一词的词源研究由来已久。辜正坤先生认为，“异化这个词的德语原文是entfremdung，它译自英文alienation，后者则又源自拉丁文alienatio。”[①]王若水先生则持相反观点，认为德文entfremdung不是从英文alienation的直译中获得[②]。侯才则认为德语entfremdung一词译自希腊文allotriŏsis[③]。“异化”最原初被使用于宗教时意为分离、疏远、陌生化。据他考证，“异化”是1522年马丁·路德在翻译圣经《新约全书》时，从希腊文移植到德语中的，用来表达疏远上帝的行为和去神化的思想倾向，其同义于无知。

---

① 辜正坤：《外来术语翻译与中国学术问题》，《北京大学学报（哲学社会科学版）》1998年第4期，第51页。

② 王若水：《“异化”这个译名》，《学术界》2000年第3期，第46页。

③ 侯才：《有关“异化”概念的几点辨析》，《哲学研究》2001年第10期，第74页。

此外，王贵贤也认为alienation是一个多义词，它至少可以应用于以下三种领域并拥有近似的内涵：在法学领域内，它具有转让、让与，权利和财产的让渡等涵义；在社会学范围内它有与他人分离、疏远，与祖国、与神分离、疏远的意思；在医学、心理学范围内它的意思则是精神错乱、精神病等。[①]在当代，“异化”一词还广泛运用于跨文化、多语种的翻译领域，意为翻译过程中的外向视域。秉持外向视域的翻译策略被称为异化翻译法（foreignizing translation），它旨在达成使“译者尽可能不去打扰作者，让读者向作者靠拢”的目标。异化翻译法的核心是以源文本为出发点和归宿，尽可能传译文本中的“异质因素”，即异域文化特色和语言表达方式，以及作者的个性化写作手法等。与之相对的翻译策略是归化翻译法（domesticating translation），即秉持内向视域，以目的语读者群的习惯表达为翻译依归。

（二）“异化”的哲学化

一般认为，“异化”的哲学化转向肇始于17、18世纪以霍布斯和卢梭为代表的启蒙思想家，他们首先将“异化”从宗教性、法学性和经济学性等特质中解放出来，赋予其政治哲学的属性，主要用于探讨个体政治权利的哲学理念和逻辑表达。“异化”概念的哲学化转向首先由费希特完成，他在其“自我的现象学说”中将“异化”概念引入德国古典哲学，尔后这一概念在德国古典哲学领域得到普遍推介。王若水先生认为，“我们现在使用的‘异化’概念是创始于黑格尔，继承于费尔巴哈，完成

① 王贵贤、田毅松编著：《〈1844年经济学哲学手稿〉导读》，北京：中国民主法制出版社，2012年，第57页。

于马克思。当然，还可以从黑格尔的异化概念中找到费希特和席勒的影响”[1]。

黑格尔对“异化”的哲学化引介。“异化”的真正哲学化、概念化完成于黑格尔。黑格尔作为辩证法大师是研究矛盾和对立统一关系的集大成者。因此，存在与非存在的对立概念就成为辩证法的问题研究核心。“异化”在黑格尔语境中的原初意义同中性的“外化”(entauβerung)，代表与存在物相对应的对象物，表示对立性关系和关系性对立。黑格尔惯于在自然哲学的范畴中用它来表示“绝对精神”，即“绝对精神”的外化或对象性寻求。显而易见，黑格尔对“异化”的哲学化引介仍旧踯躅于“异化”的一般抽象含义——表示“分离”。例如黑格尔在《精神现象学》中说：“抽象的东西，无论属于感性存在的或属于单纯的思想事物的，先将自己予以异化，然后从这个异化中返回自身，这样，原来没经验过的东西才呈现出它的现实性和真理性，才是意识的财产。”[2]

费尔巴哈对“异化”的哲学化引申。在费尔巴哈那里，“异化”的哲学化在更内化层面得到了进一步的引申与充实。主体化(产生于主体、受影响于主体)的对象化和客体化存在，不仅疏离于主体，甚至成为与主体相独立或相对立的异化存在(异在)，更甚至发生客体主体化和主体客体化的双重对象化(异化)过程，客体取代主体处于支配地位。费尔巴哈正是借助于这种异化思维揭秘了宗教的隐秘，“人使他自己的本质对

① 王若水：《“异化”这个译名》，《学术界》2000年第3期，第45页。

② 黑格尔：《精神现象学》(上卷)，贺麟、王久兴译，北京：商务印书馆，1962年，第26—27页。

象化，然后，又使自己成为这个对象化了的、转换成为主体、人格的本质的对象。这就是宗教之秘密”[①]。费尔巴哈以研究人为学术起点，深刻剖析了宗教的异化本质，提出和论证了“宗教的本质是人的本质异化”的观点，因之而生成费尔巴哈人本主义式的唯物主义，建构起人本学式的异化观。他认为，将宗教和上帝视为人的本质的对象化映现本身是虚幻的、无支撑的，宗教世界是一个纯粹的幻象世界，而独立的、异己的上帝为人所创造而统治人，结果是人的本质的对象化映现异化、人的本质异化，正如费氏写道，“属人的本质，或者，说得更好一些，正就是人的本质，而这个本质，突破了个体的、现实的、属肉体的人的局限，被对象化为一个另外的、不同于它的、独自的本质，并作为这样的本质而受到仰望和敬拜”[②]。

马克思对“异化”的哲学化申论。学界对马克思异化理论的研究已经较为成熟，逐渐形成了较为一致的观点。一般认为，马克思异化理论包括自然异化到政治异化再到经济异化的研究。早在马克思的博士论文中，自然异化问题就已得到了他的关注，“对自然的任何关系本身同时也就是自然的异化”[③]。这里的“异化”仍旧停留于表示外化和对象化的“异化”，也是黑格尔式的“异化”。马克思从自然异化批判向政治异化批判的转向，是通过《黑格尔法哲学批判》一文中对黑格尔提出的“市民社会”概念进行批判而实现的。马克思将不同于政治国家的、独立的市民阶层组成的“市民社会”所代表的

---

①《费尔巴哈哲学著作选集》(下卷)，北京：商务印书馆，1984年，第56页。
②《费尔巴哈哲学著作选集》(下卷)，北京：商务印书馆，1984年，第39页。
③《马克思恩格斯全集》第40卷，北京：人民出版社，1956年，第174页。

根本性的物质利益问题置于基础和决定地位，从而形成了其市民社会（物质生产）决定政治国家（上层建筑）的政治异化批判的思维框架。马克思把政治国家、政治制度视为一种“类”的异化，“政治国家的彼岸存在无非就是要确定它们这些特殊领域的异化。政治制度到现在为止一直是宗教的领域，是人民生活的宗教，是同人民生活现实性的人间存在相对立的人民生活普遍性的上天……政治生活就是人民生活的经院哲学。君主制是这种异化的完整的表现，共和制则是这种异化在它自己的领域内的否定”①。马克思在《论犹太人问题》一文中明确表达了其经济异化思想，“钱是从人异化出来的人的劳动和存在的本质；这个外在本质却统治了人，人却向它膜拜”②。经济异化思想是马克思后期主要从事的工作，其思想的发扬和阐述基本体现于《詹姆斯·穆勒〈政治经济学原理〉一书摘要》《1844年经济学哲学手稿》和鸿篇巨制《资本论》中。

二、《手稿》中的“异化”与“异化劳动”

首先，关于“异化”。马克思在《手稿》中进行资本和劳动的论证分析时，频繁地使用“异化”“外化”“对象化”等词汇。为更准确地理解马克思的文意，有必要首先对以上词汇作一个简要的区分与辨析。

其次，关于“异化劳动”。不仅是《手稿》，甚至对于整个马克思理论体系而言，关于“人”“劳动”与“异化”的讨论都是打开马克思理论大门的一把钥匙。对于特定的《手稿》而言，对

①《马克思恩格斯全集》第1卷，北京：人民出版社，1956年，第283页。

②《马克思恩格斯全集》第1卷，北京：人民出版社，1956年，第448页。

这三个名词的考察与解读有助于理解“异化劳动”的四重表现形式。

（一）对象化、外化与异化概念辨析

概念的释清是进一步理解文本内容的基础与前提。《手稿》是马克思以异化劳动理论对资本主义制度经济批判的第一个原初文本。同时，必须注意到，异化和异化劳动还是一个具有哲学意味、包含哲学批判旨趣的理论和范畴。基于哲学范畴开展经济批判，易于保证论证的基本逻辑，却难于以分析的视角实现概念间的内涵澄清与阈限划分。对此，为了更全面准确地理解《手稿》中的异化和异化劳动理论，需要对马克思在《手稿》中涉及的“对象化”“外化”与“异化”进行尽可能透彻的概念辨析。

《手稿》中，马克思对对象化、外化与异化三者的运用时常是可以相互置换的，这体现了概念本身的中性意味。也就是说，就概念的一般意义而言，一些时候的对象化等于外化等于异化，三者的词性和感情色彩均呈现为中性的“充当……的投射”的含义。从这个意义上说，其一，对象化、外化与异化是作为实践的结果而出现的，实践与劳动使对象化、外化与异化三者实现了统一，是三者的前提与基础。马克思写道，“在实践的、现实的世界中，自我异化只有通过对他人的实践的、现实的关系才能表现出来。异化借以实现的手段本身就是实践的”[1]。可见，异化是实践的异化，是现实的异化。这里的“异化”可替换为“外化”“对象化”。其二，作为主体的人是对象

---

① 马克思：《1844年经济学哲学手稿》，北京：人民出版社，2018年，第56页。

化、外化与异化得以产生和被认识的基础和决定性因素。因为“人是肉体的、有自然力的、有生命的、现实的、感性的、对象性的存在物，这就等于说，人有现实的、感性的对象作为自己本质的即自己生命表现的对象；或者说，人只有凭借现实的、感性的对象才能表现自己的生命”[①]。无论是自然界、劳动产品、生活资料等都是人类活动的对象物，人作为主体必须对对象加以现实化改造，使自然存在物获得对象化和客体化的身份赋予，这就是对象化或者说外化、异化过程的达成。正如马克思指出，“异化不仅表现在结果上，而且表现在生产行为中，表现在生产活动本身中……产品不过是活动、生产的总结。因此，如果劳动的产品是外化，那么生产本身必然是能动的外化，活动的外化，外化的活动”[②]。这里的“外化”和“异化”在意义上同样可以置换为“对象化”。此外，外化、对象化和异化在马克思《手稿》中的使用语境也可以为批判性场域，这时的“外化”同马克思哲学批判语境中“异化”的一般义，指主体的非主体倾向和反本质化流变。

马克思对异化和外化的差异化意义使用体现于狭义层面。“对象化”在《手稿》中指客体主体化的过程，是主体对客体施加影响的过程。“对象化”与“外化”在《手稿》中较多地被用于没有本质差异的层面。“劳动的产品是固定在某个对象中的、物化的劳动，这就是劳动的对象化。劳动的现实化就是劳动的对象化。”[③]主体本质的对象化的结果是表现为物化劳动

---

① 马克思:《1844年经济学哲学手稿》,北京:人民出版社,2018年,第103页。

② 马克思:《1844年经济学哲学手稿》,北京:人民出版社,2018年,第50页。

③ 马克思:《1844年经济学哲学手稿》,北京:人民出版社,2018年,第47页。

的劳动产品，劳动产品作为物化的和固化的、被贮存在特定物中的劳动必然会复归至主体本身，并对主体产生价值(这里暂且搁置资本逻辑下的泡沫经济和剩余产品)。但是异化则不同，异化在《手稿》以及马克思后期对资本主义制度的经济批判中作为一个概念性工具[①]和工具性概念[②]是带有强烈贬义色彩的批判性概念。“主体由于自身矛盾的发展而产生自己的对立面，产生客体，而这个客体又作为一种外在的、异己的力量而凌驾于主体之上，转过来束缚主体，压制主体，这就是‘异化’”[③]。可见，异化以对象化或外化为基础，是更加极端化的对象化或外化，是颠倒了的主客体关系在哲学意义上的表达。在《手稿》中，马克思有时也将异化和外化作同义替换，“在国民经济的实际状况中，劳动的这种现实化表现为工人的非现实化，对象化表现为对象的丧失和被对象奴役，占有表现为异化、外化。”[④]

(二) 人与劳动与异化:异化劳动的四重体现

世界是类存在的世界，是主体视域内的、为主体“意识到的”和“认识到的”世界，这是马克思学说得以成立的前提之一。要言之，世界是主体化的世界，属于人的世界。因此，异

---

① 概念性工具:“异化”是一个马克思式的哲学概念或思想，这样的哲学概念对马克思一生的理论研究起到辅助论证的工具价值，是作为一种具有概念内涵的工具而存在和被使用。这里强调“异化”的形式价值。

② 工具性概念:“异化”概念是马克思进行研究和批判的可靠概念性工具，所以说“异化”也是一种工具性概念。这里强调“异化”的内容价值。

③ 王贵贤、田毅松编著:《〈1844年经济学哲学手稿〉导读》，北京:中国民主法制出版社，2012年，第63页，转引自王若水:《在哲学战线上》，北京:人民出版社，1980年，第470页。

④ 马克思:《1844年经济学哲学手稿》，北京:人民出版社，2018年，第47页。

化必然是与类存在（人）相联系的。此外，在《手稿》中，马克思认为主体性的人的本质在于劳动，劳动是人的存在方式，劳动的本质是现实的人的感性（对象性）的活动。马克思基于政治经济学的事实判断，发现了异化劳动的四重表现形式，同时对劳动和人的概念、现实流变（商品和工人）及相互关系作出科学界定，这是马克思建构异化劳动学说的基本前提。

人在资本时代"成为"劳动者，本身就反映了人的本质属性的易迁，"劳动者"内含的人之工具性属性凸显了人的本质的异化和作为人的存在方式的劳动的异化。劳动过程成为人的物化过程；作为劳动结果的劳动产品，成为独立于人之外的一种异己性存在而体现了人的本质力量；劳动成为异化的劳动、抽象的劳动、工具性的劳动。"劳动者"或"工人"的身份吞噬了作为人的自然身份，正如马克思考察到的，"国民经济学不考察不劳动时的工人，不把工人作为人来考察，却把这种考察交给刑事司法、医生、宗教、统计表、政治和乞丐管理人去做"[①]。劳动作为人的本质和存在方式，是人类和人类社会产生发展的基础，是人类社会存在的永恒历史前提。马克思发现早期资本主义制度下的人与劳动与异化三者间的关系，"正像人在宗教中受他自己头脑的产物的支配一样，人在资本主义生产中受他自己双手的产物的支配"[②]。

考虑了人与劳动与异化的关系后，马克思在《手稿》中对异化劳动的四重表现做了细致的分析：

其一，劳动者与劳动产品的异化，体现了劳动者"对感性

---

① 马克思：《1844年经济学哲学手稿》，北京：人民出版社，2018年，第13页。

② 马克思：《资本论》第1卷，北京：人民出版社，2018年，第717页。

的外部世界、对自然对象——异己的与他敌对的世界——的关系”[1]。马克思把劳动者与劳动产品的异化视为“当前的国民经济的事实”，同劳动所得之间呈现出价值反比的关系，即劳动产品的让渡量越多，其补偿物价值越少。具体表现在“劳动为富人生产了奇迹般的东西，但是为工人生产了赤贫。劳动生产了宫殿，但是给工人生产了棚舍。劳动生产了美，但是使工人变成畸形”[2]。不仅是最直接的劳动产品同工人的最直接的异化，还有更高层次、更深程度的再生性、反身性异化，即作为劳动产品的机器取代手工劳动，使那些被淘汰的、同样是劳动“产品”的劳动者的劳动返回到前机器时代的野蛮劳动方式，而剩余的能够与机器合作劳动的工人陷入“类机器式”的存在。被剥夺了自由劳动权利的工人趋向愚昧化、机械化。进而，马克思追溯到了劳动产品异化的前一个过程——劳动过程本身存在的异化现象，“如果工人不是在生产行为本身中使自身异化，那么工人活动的产品怎么会作为相异的东西同工人对立呢？”[3]

其二，劳动本身的异化——“劳动对生产行为的关系”。在这一序列中，马克思回应了上面的设问，“产品不过是活动、生产的总结……在劳动对象的异化中不过总结了劳动活动本身的异化、外化”[4]。具体反映为劳动本身不是作为人的第一需要而是为获取维持生存所需的东西的一种手段，劳动的目

---

① 马克思：《1844年经济学哲学手稿》，北京：人民出版社，2018年，第51页。
② 马克思：《1844年经济学哲学手稿》，北京：人民出版社，2018年，第49页。
③ 马克思：《1844年经济学哲学手稿》，北京：人民出版社，2018年，第50页。
④ 马克思：《1844年经济学哲学手稿》，北京：人民出版社，2018年，第50页。

的性和手段性发生了割裂。值得注意的是，马克思口中的劳动本身作为一种需要，是哲学概念上的抽象的需要总体，它同作为劳动的对象化的那些需要，比如劳动产品等，以及“吃、喝、性行为”的生物性需要相对，但马克思并不否认基于劳动本身的在后者范畴内的需要。只有当后者范畴内的需要与作为人的第一需要的劳动本身相脱离时，劳动本身也才沦落为“被迫的强制劳动”而异化，成为“对工人来说是外在的东西”和“不属于他的本质”的东西。概言之，劳动本身的异化体现为劳动对于工人“不属于他的本质”，反映在劳动“不属于他”和劳动“不属于他的本质”两个层面，即经济意义上的劳动所有权的让渡方面和哲学意义上的劳动的非价值化与手段化方面，这两个方面又存在着逻辑上的先后规定。

其三，人的类本质的异化——劳动对人的本质的关系。人从事劳动的第一目的无非是获得生存的自由，因而自由是人的本性旨归。将人从异化劳动中解放出来是人实现对人自己的本质的占有的前提与基础。这样的定位重塑了劳动本身的属性，将劳动概念放到了哲学中最重要的位置。《手稿》中对类本质的异化可理解为：“类生活和个人生活异化”；“抽象形式的个人生活变成同样是抽象形式和异化形式的类生活的目的。”[①]“人是类存在物。”[②]“生产生活就是类生活。”[③]类生活是类存在的价值。自然界即人的无机的身体，劳动作为人的本质和存在方式，人通过“自由的有意识的”劳动使自然界对

① 马克思：《1844年经济学哲学手稿》，北京：人民出版社，2018年，第52页。

② 马克思：《1844年经济学哲学手稿》，北京：人民出版社，2018年，第53页。

③ 马克思：《1844年经济学哲学手稿》，北京：人民出版社，2018年，第52—53页。

象化，成为“人的直接生活材料”，这个过程就是类生活，非异化状态下的类生活与个人生活是统一的，类生活就是个人生活。但异化劳动使人同自身相割裂、相隔绝，使人把类生活变成仅仅为维持生存的手段，谋生性劳动成为生活唯一指南。所以，工具性（异化）劳动使自然界从类那里夺去，就是使类生活被夺去（异化），使类本质被夺去（异化）。

其四，人与人关系的异化。类本质是全体类存在的普遍本质，个体同类本质相异化意味着个体不仅同自身相异化，还同自身之外的全体类存在相异化，这种情况适用于类存在中的每个个体，即形成个体同个体相异化、相对立的普遍异化。“通过异化的、外化的劳动，工人生产出一个同劳动疏远的、站在劳动之外的人对这个劳动的关系。工人对劳动的关系，生产出资本家——或者不管人们给劳动的主宰起个什么别的名字——对这个劳动的关系。”[①]这样类内部发生异化，分裂为利益和地位对立的“异质”群体，“阶级”的概念正式出场。主体间关系异化是马克思《手稿》中探讨的异化问题的焦点，主体间关系异化是前三方面异化的必然结果，也是其集中体现。

知识链接 ……………………………………………………………

★ 卢卡奇物化理论 ★

“物化”概念是匈牙利哲学家格奥尔格·卢卡奇在《历史和阶级意识》中探讨的重要哲学问题，但在《手稿》中只零星提及，基本含义

① 马克思：《1844年经济学哲学手稿》，北京：人民出版社，2018年，第57页。

是“作为表现为具体产品的劳动的结果”。《历史和阶级意识》于1923年发表时，马克思的《1844年经济学哲学手稿》虽已完成，但直到1932年《手稿》才完全发表进入大众视野。因此卢卡奇的物化理论应该是受到马克思《资本论》第1卷中关于商品及商品拜物教的启发。

卢卡奇的物化理论主要表现在：其一，资本主义商品生产中的主体物化，表现为劳动者在劳动过程中的自主性丧失和被剥夺，进而沦为劳动过程的奴隶与客体地位。主体的客体化揭示了劳动者物化的秘密，主体间关系也表现为无情感的物间关系。其二，由于分工和交换的深入，资本主义社会劳动方式碎片化发展，主体的职业化、专业化意味着主体视域狭窄化，丧失了对历史整体的把握能力。其三，物化意识出现。在资本主义社会中，劳动者自觉性的意识和能力丧失并日益机械化，主体被物一样的劳动方式和生活方式同化，最后触及灵魂物化。意识物化表现为主体非批判地认同外在的物化现象和物化结构，并加以遵循、服从，从而丧失了批判和超越的能力。

物化理论丰富发展了马克思主义异化理论。物化理论是卢卡奇所理解的马克思主义的重要组成部分，是他所提出的对马克思主义异化理论的新理解。卢卡奇在探寻物化的根源上，同样诉诸马克思的研究轨迹，从资本主义经济社会生活入手，从经济、政治、意识形态不同方面进行研究，得出“物化不是特定的产物，是在历史进程中出现的历史现象”的结论，并且提出了物化现象的消除方式，即辩证总体观。卢卡奇独特的物化视角开启了西方马克思主义研究的新方向。

三、《手稿》中的“异化”与私有财产

马克思通过异化劳动与私有财产揭开了资本主义私有财

产制度的“历史之谜”，异化劳动与私有财产作为《手稿》的关键词与重要内核，为马克思批判资本主义制度奠定了政治经济学的概念基础。因此，探讨《手稿》中的“异化”与私有财产必须首先分析“异化”（尤其是以异化为基础的异化劳动）与私有财产的关系，这是破解资本主义制度谜题的钥匙。基于此，历史地分析封建制度与资本主义制度中的异化与私有财产的现实表现形式，更具理论说服力与历史真理性。

（一）《手稿》中对“异化”与私有财产的关系探讨

马克思在《手稿》中，是从工人和资本家两个问题域来探讨劳动与私有财产的。

一方面，私有财产产生于异化劳动中。工人对劳动的异化关系首先生产出资本关系和资本家，“人不仅生产出他对作为异己的、敌对的力量的生产对象和生产行为的关系，而且还生产出他人对他的生产和他的产品的关系，以及他对这些他人的关系”[①]。人的自己的劳动产品是人的本质力量的表现，人对自身的关系表现为人对他人的对象性关系，现实中，工人对自己劳动产品的对象化劳动关系表现为一种“异己的、敌对的、不自由的”关系的原因，马克思论证是“有另一个异己的、敌对的、强有力的、不依赖于他的人是这一对象的主宰”[②]。异化劳动使工人的劳动产品经资本家转化为资本形式的、属于资本家的私有财产，正如马克思指出，“私有财产是外化劳动即工人对自然界和对自身的外在关系的产物、结果和必然后

① 马克思：《1844年经济学哲学手稿》，北京：人民出版社，2018年，第56页。

② 马克思：《1844年经济学哲学手稿》，北京：人民出版社，2018年，第56页。

果”[①]。另一方面，私有财产是异化劳动产生的原因和手段，是异化劳动的实现。对此，马克思从工资和资本两个方面加以阐释：以劳动产品和劳动对象偿付工人劳动的工资和私有财产是同一的，是异化劳动的实现，“在工资中，劳动并不表现为目的本身，而表现为工资的奴仆”[②]。私有财产的关系还体现为资本的关系，工人只有当他作为资本存在的时候，才在资本性上作为资本家的私有财产存在，才作为工人存在，才在政治经济学中存在，才不断生产出异己性和异化劳动，才是异化劳动的实现。

作为劳动产品的财富是劳动的外在形式，同样，私有财产也是劳动的外在形式，“私有财产的主体本质，私有财产作为自为地存在着的活动、作为主体、作为人，就是劳动”[③]。因此，私有财产的关系还表现为劳动的关系。有产者对劳动本身和劳动对象的占有关系就是对异化劳动的关系，就是私有财产的关系。

（二）不同制度下的“异化”与私有财产

封建制度下的“异化”与私有财产。封建制度下“异化”与私有财产的表现形式之土地与地租。第一，马克思指出，私有财产在封建制度下表现为对封建土地的占有，以土地“作为某种异己力量”[④]的中心对土地所有者、租地农场主和农奴等施行统治，“土地占有是私有财产的基础”[⑤]。而“土地所有者的

① 马克思：《1844年经济学哲学手稿》，北京：人民出版社，2018年，第57页。
② 马克思：《1844年经济学哲学手稿》，北京：人民出版社，2018年，第58页。
③ 马克思：《1844年经济学哲学手稿》，北京：人民出版社，2018年，第70页。
④ 马克思：《1844年经济学哲学手稿》，北京：人民出版社，2018年，第41页。
⑤ 马克思：《1844年经济学哲学手稿》，北京：人民出版社，2018年，第41页。

权利来源于掠夺”[1]，集中表现为土地所有者向租地农场主索取“土地自然成果”（土地所有者没有付出任何人力和财力成本），即索取地租。马克思揭露，土地所有者是通过压榨租地农场主的地租间接“榨取社会一切利益”，从而论证土地所有者的利益同租地农场主、雇农、工业工人和资本家的利益相敌对，也同其他土地所有者的利益相敌对。第二，封建土地所有制基于土地赋予土地领主统治权，土地作为私有财产是领主的无机的身体，领主表面上统治围绕土地从事生产的一切，实质上受土地支配，这是封建土地制度的异化本质。马克思不失幽默地将这种颠倒了的关系形容为“土地继承了他”[2]，这简洁有力地表达了封建土地所有制下土地的内在主体本质与永恒性：土地是主语，人是宾语。第三，封建土地制度营造起来的“狭隘民族性”与朴素浪漫主义随着大地产吞并小地产的地产资本化过程逐渐褪去了人格化和“温情”特征，土地所有者和租地农场主在不断的利益竞争中逐渐趋于阶层一体化和资本家化，封建地产趋于商品化，地租趋于资本化。“从而，中世纪的俗语‘没有无领主的土地’被现代俗语‘金钱没有主人’所代替。”[3]资本主义关系逐渐代替封建土地关系成为社会的主宰。

资本主义制度下的“异化”与私有财产。资本主义制度下“异化”与私有财产的第一种表现形式是资本。资本通过占有他人劳动、私有化其产品给资本所有者带来利润——表现为

① 马克思：《1844年经济学哲学手稿》，北京：人民出版社，2018年，第32页。
② 马克思：《1844年经济学哲学手稿》，北京：人民出版社，2018年，第41页。
③ 马克思：《1844年经济学哲学手稿》，北京：人民出版社，2018年，第42页。

社会财富的私有财产。资本是表现为各异质劳动产品的私有财产的抽象。“资本是积蓄的劳动。”[1]资本是工人的主观存在，劳动是资本的客观存在。工人只有从主观上不断出卖自己的劳动以适应资本的需要，使自身不断嵌入资本化和商品化，才能维持自己作为工人的身份，以换取生存必需的材料。人异化为商品化、资本化的工人，工人作为人的价值被埋葬，成为一种贫困的、活的资本。工人进行劳动、生产资本、为资本家创造私有财产的同时，资本也在生产着工人、生产着资本关系（制度）。

资本主义制度下“异化”与私有财产的第二种表现形式是货币。《手稿》认为，资本取代地产成为更高级的私有财产形式是由于分工和交换的深刻发展，而货币将取代资本成为比资本形式更加发达的私有财产形式。货币具有普遍的中介性质，“使一切人的和自然的性质颠倒和混淆”，“把这些本质力量的每一种都变成它本来不是的那个东西，即变成它的对立物”[2]。通过货币，私有财产的关系以更加抽象与隐蔽的形式实现对工人阶级的隐而不显的控制。没有货币的人的需求被视为“纯粹观念的东西”，对他人是不起任何作用的，对自身也是“非现实的、无对象的”。因此，作为私有财产的外在的普遍手段和能力的货币，将人的和自然界的更深刻的现实的本质力量抽象掉、取消掉了。也就是说，有了货币才有自由，没有货币连动物都算不上，是非现实的存在；货币改变了人与物之间原有的界限——自我意识，以纯粹片面和抽象的概念作为

① 马克思：《1844年经济学哲学手稿》，北京：人民出版社，2018年，第19页。
② 马克思：《1844年经济学哲学手稿》，北京：人民出版社，2018年，第140页。

价值，实际上导致了新的、本质的“不完善性和幻象”。这就是资本主义制度下私有财产的本质。

知识链接

★ 业内关于“异化劳动”之于历史唯物主义的意义的论争 ★

就这个问题，当前理论界大致形成了三种声音：

一是基本肯定异化和劳动概念对马克思整体思想发展和在历史唯物主义理论中的重要作用，往往将《手稿》视作决定马克思思想发展的关键巅峰之作，代表人物有艾瑞克·弗洛姆、赫伯特·马尔库塞、亨利·德曼等。德曼认为，《手稿》对重新理解马克思的思想发展史具有决定性的意义，它是马克思成就的高峰，它清楚地揭示了隐藏在马克思社会主义信念背后的人道主义动机。弗洛姆认为，现实的个人的存在问题是《手稿》的核心问题，它与《资本论》中表达的思想并没有根本不同。马尔库塞强调，《手稿》中的“劳动”“物化”“私有财产”等范畴已经超出了经济学的范围，深入到把总体的人的存在作为研究课题的领域，成为历史唯物主义的基础。

二是认为《手稿》作为一部重要的过渡性著作，虽然在内容上已经孕育出历史唯物主义的因素，但总体上仍旧保留着费尔巴哈人本主义的痕迹，代表学者有科尔纽、麦克莱伦等。科尔纽认为，在《手稿》中马克思把思维和存在、人和外在世界的统一看作是具体实践的结果，并力图从经济发展中去寻求社会变革的原因，但它仍带有唯心主义色彩。麦克莱伦指出，虽然马克思声称自己的结论是通过完全经验的分析得出的，但“异化”和“人的本质的实现”这些术语的运用表明马克思的分析并不完全是科学的。

三是持基本否定论调的，代表学者有阿尔都塞、施密特等。阿尔都塞认为，以1845年为界，青年马克思与成熟的马克思之间存在着“认识论的断裂”，1845年前是意识形态阶段，1845年后是科学阶段。《手稿》时期的马克思尽管在政治上已是共产主义者，但在理论上还不是一个马克思主义者。因为《手稿》中的“异化”“人的本质”“人道主义”等概念表明，它的“理论框架”仍然是黑格尔的理性主义和费尔巴哈的人本主义。施密特认为，《手稿》具有抽象化和浪漫化的人本主义倾向，由于马克思没有经济史方面的正确知识，因此还未能完全从费尔巴哈的偶像化了的“人”与“自然”中解放出来。

延伸阅读

（1）《黑格尔法哲学批判》，《马克思恩格斯全集》第3卷，北京：人民出版社，2002年。

（2）《论犹太人问题》，《马克思恩格斯全集》第3卷，北京：人民出版社，2002年。

深度思考

（1）简述封建制度下的异化与资本主义制度下的异化概念的嬗变。

（2）简述异化、对象化、外化的异同。

Reading & Interpretation
大家写小书·马恩经典著作新读

第 四 章

一个不朽的主题：共产主义与人的解放

马克思在《手稿》中论述了异化劳动和私有财产，其根本目的是试图解答“历史之谜”。《手稿》提出“历史之谜”的答案在于共产主义和人的解放。《手稿》对这一主题的论述影响至今，它从人的需要与人的本质切入，论证了共产主义是对异化劳动和私有财产的积极扬弃，是人的本质的全面复归。

一、人的需要与人的本质

人的需要是人的生命活动的重要驱动力，也是人确立自身存在的具体表现。马克思在《手稿》中立足历史唯物主义视角，多处论述人的需要与人的本质的关系。

（一）人的生存需要是确立人的本质的基础

马克思将人基本的物质需要作为历史产生的逻辑支点，也在此基础上完成了历史唯物主义理论的阐发。他在《德意志意识形态》中提出，“一切人类生存的第一个前提，也就是一切历史的第一个前提是：人们为了能够‘创造历史’，必须能够生活。但是为了生活，首先就需要吃喝住穿以及其他一些东西。因此第一个历史活动就是生产满足这些需要的资料，即生产物质生活本身”①。其实，在《手稿》中，马克思就提到了人的基本物质需要的重要性，他指出，人首先是自然存在物，是具有自然力和生命力的存在物，生存的需要是人最基本的需要，只有满足了这种基本需要，其他一切对人来说才具有可能和意义，而满足生活的基本过程，是表现和确证人的本质力量所不可缺少的、重要的对象。为了更好地理解这个问题，马克

①《马克思恩格斯选集》第1卷，北京：人民出版社，2012年，第158页。

思以"饥饿"为例说明了需要对人的本质确立的基础性作用。他说:"饥饿是我的身体对某一对象的公认的需要,这个对象存在于我的身体之外,是使我的身体得以充实并使本质得以表现所不可缺少的。"[①]为了满足自身需要,人开始进行生产劳动,只有劳动才能满足人的基本需要,所以人的第一个历史性活动就是物质生活本身的生产,是满足自身需要的生产。

（二）实践(劳动)需要提升人的本质

人的基本物质需要是确立人的本质的前提,更多是从人的自然属性来理解的,即人为满足现实的生存需要而进行劳动生产。然而,马克思强调,这种生产又是不同于动物仅仅生产自身直接需要的片面生产,"动物的生产是片面的,而人的生产是全面的;动物只是在直接的肉体需要的支配下生产,而人甚至不受肉体需要的影响也进行生产,并且只有不受这种需要的影响才进行真正的生产"[②]。这种通过实践改造对象世界、改造无机界的生产是一种有意识的生命活动,是一种自主活动。人不仅仅因为生存需要进行生产,人同时把自身当作自由的存在物,而自由有意识的活动正是人的类特性的表现,这种生产体现了人的意志。因而,对人来说,"自由的有意识的活动"是人作为类存在物的特性,正是这种类特性,这种自由的有意识的活动,人的本质才得以确立。接下来马克思说,人不仅是自然存在物,也是社会存在物,"甚至当我从事科学之类的活动,即从事一种我只在很少情况下才能同别人进行

① 马克思:《1844年经济学哲学手稿》,北京:人民出版社,2018年,第103页。
② 马克思:《1844年经济学哲学手稿》,北京:人民出版社,2018年,第53页。

直接联系的活动的时候，我也是社会的”[①]。人的活动，活动所需要的材料，甚至语言，都是作为社会的产品被给予的，人的存在本身就是社会活动。人的需要对人的本质的确立的过程只有在社会关系中才能现实地表现出来，因为人的需要是人和社会之间连接的唯一纽带，进而推动人的本质不断发展。前述关于人的需要与人的本质的关系还只是理论层面的分析，当把人的需要的研究视角延伸到人类社会活动和社会关系的层面，人的本质亦获得了全新的阐释与充实。从这个意义上而言，人的需要不断满足的过程，也是人的本质不断充实的过程。马克思以原子为例说明人的需要的社会属性。他说，原子没有需要，它的特性就在于它没有任何属性，因此也没有任何由它自己的本性必然所制约的与其它存在物的关系。但是，人作为市民社会的成员根本不是什么原子，也就是说，人的需要的满足依赖于市民社会，正是利益把市民社会的成员彼此连接起来。在这里，马克思强调了人的社会本质的重要性，人是社会存在物，人的活动只有依赖于社会才能进行。这样，人的合乎人性的需要的实现也必然依赖于社会，在社会中，人的需要充实了人的本质。

（三）资本主义条件下人的需要的异化

“我们已经看到，在社会主义的前提下，人的需要的丰富性具有什么样的意义，从而某种新的生产方式和某种新的生产对象具有什么样的意义。人的本质力量得到新的证明，人的本质得到新的充实。”[②]但在资本主义条件下的一切都具有

① 马克思：《1844年经济学哲学手稿》，北京：人民出版社，2018年，第80页。

② 马克思：《1844年经济学哲学手稿》，北京：人民出版社，2018年，第117页。

相反的意义，人已经没有特别的需要了，维持最低生活资料的机械运动成为人的存在。马克思在《手稿》“私有财产和需要”中就具体描述了资本主义条件下人的需要的异化情况。这种需要的异化造成需要的匮乏，也造成人的本质的绝对贫困，可以从以下方面进行分析。

第一，需要的狭隘性与人的基本生存资料的贫乏。马克思指出，资本主义条件下，需要失去了本身所具有的内涵，被简单定义为“货币的追逐”，对货币的需要成为资本主义社会的唯一需要，需要异化为一种欲望。这种狭隘的需要不仅没有充实人的本质，反而加重了人的异化程度，使人越来越远离真正的需要（即人的本质）。工人为资本主义社会创造了财富，然而工人维持生活的物质资料仍是匮乏的。资本家将“利润”视作终极目标追求，把工人当作需要的机器，工人成为机械的抽象运用。这不仅突破人之生存的自然界限，更挑战了人的道德界限。资本主义社会下，人的需要仅成为一种维持肉体生活的狭隘性需要，人的本质被极度“单一化”。

第二，需要的失衡与人的主体性的缺失。资本主义社会中，工人的劳动失去了其本质特征而表现为一种被迫性活动。工人的劳动不再是满足自身需要的方式，而成为满足资本家需要的被迫性劳动。表现为人的本质的劳动不再属于自己，而属于“他者”。其结果是，“人（工人）只有在运用自己的动物机能——吃、喝、生殖，至多还有居住、修饰等等——的时候，才觉得自己在自由活动，而在运用人的机能时，觉得自己只不过是动物”[1]。

① 马克思：《1844年经济学哲学手稿》，北京：人民出版社，2018年，第51页。

劳动在资本主义社会中失去了其表现人的本质的属性，仅以谋生活动的形式出现，这使得人的主体性在这种“被迫需要”中丧失，人的自然本质与社会本质的差异性无法彰显。

第三，需要的异化与人的发展空间的受限。马克思认为，需要对人的发展的重要意义在于，通过实践，人的本质力量得到新的证明与充实。但是，这种证明与充实必须符合一定的社会条件。资本主义社会条件下，人的需要发生异化：“一方面出现的需要的精致化和满足需要的资料的精致化，却在另一方面造成需要的牲畜般的野蛮化和最彻底的、粗陋的、抽象的简单化，或者毋宁说这种精致化只是再生出相反意义上的自身。对工人来说，甚至对新鲜空气的需要也不再成其为需要了。”[①]资产阶级无视工人需要，把工人仅当作满足自身需要的工具，工人完全沦为资本家获得利益的机器，失去了发展空间，对他们来说，生存就等同于生活。合乎人性的需要的实现方式在资本主义制度下成为幻影，对货币的唯一需要使人的发展虽然超越了“人对人的依赖”的阶段，却又陷入了“人对物的依赖”。私有财产造成的人的需要的单一性成为人自由发展和实现人的本质力量的桎梏，正是人的需要在资本主义制度下满足的有限性，使现实的变革和解放成为可能。

通过以上论述，我们发现，人的需要并不是单一的，随着社会实践的发展，人的需要也表现出其层次性与多样性。正如马克思所说的，“在现实世界中，个人有许多需要”[②]。但他强调的是，无论这种需要从何种视角去解读，都必须将其作为

① 马克思：《1844年经济学哲学手稿》，北京：人民出版社，2018年，第118—119页。
②《马克思恩格斯全集》第3卷，北京：人民出版社，1960年，第326页。

一个历史范畴来考察。需要的不断满足也是人不断改变周围环境、不断发展社会的必然结果。

二、从“空想的”社会主义到“真正的”社会主义

马克思并没有止步于对资本主义制度下人的需要的局限性造成的主体性缺失的分析，而是继续为寻找人的解放的现实途径、最终实现人的本质的全面复归而努力。需要本身的合乎人性的实现在资本主义制度下成为幻影，于是，马克思对实现人的本质的社会制度提出了构想。最终，他得出结论，真正的社会主义社会必然要实现对异化劳动和私有财产的积极扬弃，进而实现人的本质与人的解放，这样人的丰富需要才能得到满足。马克思综合批判了不同的空想社会主义学说以及德国社会主义学说。这些社会主义学说按“逻辑编排版”，在序言中已加以说明，对马克思产生影响的主要观点有以下几个：以傅立叶、圣西门和欧文为代表的英法空想社会主义学说主要吸收了欧洲哲学的唯物主义合理因素，以人的感性需要为基础，将个人利益的追求看作是合乎人性的；魏特林认为私有财产是罪恶的根源，他提出通过社会革命推翻资本主义的观点；赫斯的社会主义思想发展经历了宗教社会主义、哲学社会主义和伦理社会主义三个阶段；恩格斯论述了资产阶级政治经济学的起源和影响，指明资本主义社会的一切罪恶都源于私有制，因此必须消灭私有制。通过批判地吸收这些社会主义学说，马克思第一次正面论述共产主义的观点，这是《手稿》学习的一个重点。

（一）对空想社会主义的批判

马克思从思想基础上批判了空想社会主义。他的基本观点是，“自我异化的扬弃同自我异化走的是同一条道路”[①]。意思是说，在私有财产与共产主义的关系中，私有财产发展的不同阶段，形成了共产主义学说的不同类型。自我异化的扬弃必须消除产生它的客观条件，而不是仅仅改变私有财产的存在形式。

蒲鲁东主张消除资本，但他不理解劳动和私有财产之间的关系，只是从客体方面考察私有财产，认为只要消灭了资本就可以扬弃异化。因此，他对资本主义政治经济学的批判不够彻底，最终导向其改良立场。傅立叶将资本主义的分工视为异化的根源，认为回到单一的农业劳动就能解决异化问题。圣西门虽然认识到资本主义的发展对扬弃异化的贡献，但他并不否定资本主义制度本身，幻想通过保留资本家统治改善工人阶级的条件。蒲鲁东、傅立叶和圣西门等没有认识到私有财产与劳动的关系，由此提出解决社会问题的道路也是空想的。这是马克思论述共产主义的基础。

（二）不同类型的共产主义形式分析

社会主义者仅仅从空想或思辨的视角分析未来理想社会，导致他们不可能在人的真正解放问题上给予解答。马克思认为，共产主义运动，不过是对异化劳动和私有财产的历史运动过程的反映。马克思在《手稿》中论述了三种不同表现形式的共产主义及其本质，分别是“粗陋的共产主义”“民主的或

---

① 马克思：《1844年经济学哲学手稿》，北京：人民出版社，2018年，第75页。

专制的共产主义”“人的自我异化积极扬弃的共产主义”。就前两种形式的共产主义而言，马克思认为，它们都不是真正的共产主义。

第一种共产主义形式是“粗陋的共产主义”。这样的共产主义本质上是对私有财产的否定，即私有财产普遍化的完成。应该说，这样的共产主义形式并不是从根本上反对私有财产，而只是要求废除“不平等”的私有财产，实现私有财产的平均占有。换句话说，它并不是要求消灭私有制，而是用财产的普遍私有来取代财产的个别私有，使每个人都成为私有者。因此，它是改头换面的私有制，是追求财产平均化的私有制，也是“粗陋的”共产主义，无法认识到私有财产的特性。“粗陋的共产主义”的第二个表现是共妻制的提倡。这种观点赤裸裸地暴露了其相当粗陋的和毫无思想的秘密。马克思严厉批判了它的弊端，“这种共产主义——由于它到处否定人的个性——只不过是私有财产的彻底表现，私有财产就是这种否定”[①]。这样“粗陋的共产主义”不过是卑鄙性的表现，是空想与反动的。

第二种形式是“具有政治性质，是民主的或专制的”共产主义。马克思强调了这种共产主义进步的性质，这种形式的共产主义看到了私有财产的恶劣行径，看到了人的本质的实现是向人本身的复归，但是，这种形式的共产主义“是尚未完成的，并且仍然处于私有财产即人的异化的影响下”[②]。它也主张废除国家，但它没有看到私有财产的积极性质，因而无法

① 马克思：《1844年经济学哲学手稿》，北京：人民出版社，2018年，第76页。
② 马克思：《1844年经济学哲学手稿》，北京：人民出版社，2018年，第77页。

提出合理的解决方案。

这两种形式的共产主义虽然具有合理性，但它们并没有提出实质性问题，即关于私有财产的本质问题，因而，无法触及共产主义问题的核心。

三、共产主义运动

那么，马克思理解的共产主义是什么样的呢？这就是第三种共产主义形式，是“通过人并且为了人而对人的本质的真正占有”的共产主义。这样的共产主义是马克思真正提倡的共产主义，之所以如此，就在于它克服了私有财产的弊端，通过满足人的自由全面的发展需要而实现人的本质，这也是共产主义运动的最终价值追求。私有财产造成的人的需要的单一性成为人自由发展从而实现本质力量的桎梏。在马克思看来，任何一种解放都是把人的世界和人的关系还给人自己。他认为，必须以一种全新的社会制度去代替资本主义才能实现人的真正解放。

（一）真正的共产主义的形式

通过上一章论述，不难发现，资本主义社会是异化的社会，马克思揭示了其四种形式，即劳动者与其劳动产品、劳动本身、人的类本质以及和他人的对立。这种异化所造成的最根本的结果是资产阶级和无产阶级的对立、人的存在意义的缺失。马克思从经济学和哲学的双重视角分析了资本主义社会的异化以及造成的后果。在这个过程中，无产阶级遭遇被奴役的悲惨命运，而资产阶级为了维护自身现实利益不断强化对无产阶级的压榨。但是，他们即使实现了经济的富足仍不能因此而实现对人的类本质的占有。究其根源，就在于资本主义私有制，它既是异化的结果也是异化的根源。马克思认为，私有财产内部的矛盾必然导致共产主义运动，这也正是私有财产所表现的积极的一面，以前的共产主义者并没有看到这一点，他们只看到私有财产消极的内容，没有认识到其积极的方面。历史必然会从资本主义向共产主义过渡。工人阶级为争取解放必须斗争，消灭私有制就是消灭异化，最终达到自己的目标。从这方面说，共产主义具有必然性。

那么，真正的共产主义又是一种什么性质的社会呢？根据马克思在《手稿》中的描述，共产主义的最终价值目标是实现人的本质，亦即实现人的自由解放。共产主义，作为否定的否定的肯定，它是社会历史发展的必然。马克思之所以认可这种形式的共产主义，就在于它揭示了共产主义运动的最终价值追求。

知识链接 ……………………………………………………

★ 国际共产主义运动中的分野与争论 ★

马克思的共产主义理论的发展同时代的发展密切相关。在第二国际时期，由于资本主义的新变化，以考茨基、伯恩斯坦、列宁、卢森堡等为代表的第二国际理论家，各自根据对马克思主义的不同阐释，在社会主义实现方式问题上发生了激烈的争论，这导致国际共产主义运动中马克思主义的分野。伯恩斯坦坚持唯物史观只有充分考虑物质力量与思想力量的相互作用才是科学的，认为马克思主义过高地估计了暴力革命对实现社会主义的作用，关于革命形式的判断一再出现与现实不相符的情况。基于此,他宣扬“议会民主”,主张“和平长入社会主义”。卢森堡支持实现社会主义的方式是改良与革命相结合。考茨基在批判伯恩斯坦和同卢森堡、列宁等的论战中,表明自身的中派立场,主张阶级斗争的和平形式。他提出,资本主义的最终瓦解是不可避免的,有条件地进行无产阶级革命是实现社会主义的唯一途径。列宁则继承马克思恩格斯关于无产阶级暴力革命的思想,强调暴力推翻沙皇专制统治的重要性,开创了马克思共产主义运动理论在实践中发展的新道路。十月革命的爆发开辟了无产阶级革命的新时代,也证明了列宁理论的生命力。①

(二)共产主义使人成为人本身

从马克思关于共产主义的论述中,我们发现,真正的共产主义是矛盾得到解决的社会,它主要具有以下三方面特征:

第一,人与自然关系的和解,即共产主义社会必然实现人与自然关系的统一。马克思认为,人与自然是统一的整体,自然界是人的无机的身体。在资本主义私有财产条件下,资产阶级为实现利润最大化对自然进行无限度的开发占有,直接造成人与自然关系的严重失调。共产主义运动,将结束人对自然的控制,使人与自然的矛盾得到真正解决。人改造自然的活动不再是私有性质的,而是人自身实现的重要过程。第二,人与人关系的和解。马克思认为,人是社会存在物,他始终在社会之中活动。在资本主义社会,人与人之间的关系表现为因利益冲突而导致直接对立。共产主义社会消除了非人

① 主要参见刘雅琪:《第二国际的理论争论与马克思主义的分野》,博士学位论文,中共中央党校,2016年。

化的交往关系，结束了普遍的对立，是真正的共同体。第三，实现对私有财产的扬弃，进而实现人的真正复归。马克思认为，对私有财产的扬弃实现了人的自由，是人的一切感觉和特性的解放。人的感觉不再受异化劳动的束缚，通过自身同对象实现真正的占有："人以一种全面的方式，就是说，作为一个完整的人，占有自己的全面的本质。"[①]这样，人的感觉不再局限于实际需要的感觉，而具有丰富性和全面深刻性。马克思说，只有摒弃自己的利己主义性质，积极扬弃私有财产，人才能以全面的方式，亦即作为一个完整的人占有自己。因此，"人—自然—社会"实现了基本矛盾的最终解决，人与自然融为一体，人的需要同人的本质实现了最完善的统一。在共产主义社会，劳动仍然是证明人的本质的必要条件，但这种意义上的劳动，不再是生活所迫的必须，不再是为追逐个人利益，而是人生活本身的需要。因为人真正实现了自由发展。在这种社会中，人的需要得到了最大程度的满足，人的本质也在最大范围内得到了确认与充实，这时人的本质是整体性的人的本质，即人的联合体本质。

共产主义是通过扬弃私有财产实现人的本质与人的解放的制度构建。若人得到彻底的解放，人的一切感觉和特性必须属于自己本身。在马克思看来，任何一种解放都是把人的世界和人的关系还给人自己。"既然人是从感性世界和感性世界中的经验中汲取自己的一切知识、感觉等等，那就必须这样安排周围的世界，使人在其中能认识和领会真正合乎人性的东

① 马克思：《1844年经济学哲学手稿》，北京：人民出版社，2018年，第81页。

西，使他能认识到自己是人……既然人的性格是由环境造成的，那就必须使环境成为合乎人性的环境。”①变革环境意味着对资本主义制度的批判否定，因为只有消除私有财产，消灭资本主义制度，才能真正实现人的解放，实现人自由而全面的发展。

总体上，马克思将共产主义理解为一种运动，一种通过消灭私有制而创造出新的社会关系的运动。通过共产主义，人克服了异化，人的需要得到真正满足，全面占有本质，并实现自由的发展。概言之，共产主义使人成为了人本身。

延伸阅读

（1）《马列主义经典著作选编（党员干部读本）》，北京：党建读物出版社，2011年。

（2）《马克思恩格斯文集》第1卷，北京：人民出版社，2009年。

（3）韩学本：《〈1844年经济学哲学手稿〉论析》，兰州：兰州大学出版社，1988年。

深度思考

（1）马克思关于“真正的共产主义”的思考体现了他什么样的理论主题？

（2）《1844年经济学哲学手稿》中的共产主义与马克思在《资本论》中阐释的科学社会主义有怎样的联系？

（3）《手稿》中马克思关于共产主义的理论对社会主义道路问题有何启发？

---

①《马克思恩格斯全集》第2卷，北京：人民出版社，1957年，第166—167页。

Reading & Interpretation
大家写小书·马恩经典著作新读

第 五 章

一种不灭的影响：《1844年经济学哲学手稿》的意义

《1844年经济学哲学手稿》出版后受到学界普遍重视。在研究《手稿》的学者中,不仅有马克思主义的研究者,还有经济学、哲学、美学等其他学科领域的学者,这些学者对《手稿》研究形成了不同的流派。长期以来,《手稿》一直是马克思主义发展史研究中的重要论题,各学科领域、各研究学派都不断地从中汲取思想养分。时至今日,《手稿》为新时代中国特色社会主义实践,也提供了许多理论指导和建设性启示。

一、《手稿》在马克思主义发展史中的作用

《手稿》是一部过渡性的著作,在马克思主义发展史上有着承上启下的重大作用。在《手稿》的写作中,马克思批判了资产阶级的政治经济学,开始尝试创立无产阶级的政治经济学;批判了费尔巴哈的唯物主义,开始转向辩证唯物主义,对共产主义做出了科学论证。

(一)无产阶级政治经济学创立的起点

早在《莱茵报》时期,马克思就必须不时地对物质利益问题发表意见,这促使他开始研究经济问题。但是,在马克思到达巴黎之前,他对经济问题的思考还是从革命民主主义的斗争立场出发的。在法国,马克思完成了从革命民主主义向共产主义的转变,在此以后,马克思的研究才开始站在工人阶级的立场上,由政治批判转向经济批判,开始研究政治经济学。《手稿》是马克思对自己的政治经济学研究成果进行初步总结的第一部著作。对资本主义政治经济学、资本主义社会的经济结构和阶级关系的分析与批判,是马克思写作《手稿》的逻辑基础,占据了《手稿》大部分的篇幅。这种分析与批判标志

着马克思已经开始从经济理论出发剖析资本主义社会，论证无产阶级革命和共产主义学说，这同马克思以往的思想有显著区别。

马克思在《手稿》中，通过对资本主义社会经济结构的考察，初步认识了社会发展规律。在考察私有制形式的变化时，马克思指出，现实的发展过程中必然会产生资本家对土地所有者的胜利，也就是说，资本主义是私有制发展的最高形式，“只有这时私有财产才能完成它对人的统治，并以最普遍的形式成为世界历史性的力量”①，而对资本主义私有制的扬弃是向更高的共产主义过渡的客观的历史的条件。

马克思在《手稿》中通过分析现实的经济发展过程，揭示了资本主义社会基本的阶级关系。马克思在《手稿》中着重分析了资本主义生产方式所带来的劳动与资本的矛盾，由此揭示了资本主义社会内部无产阶级同资产阶级的对立局面，并对这种斗争的历史结局作了科学预见，从而把无产阶级革命与共产主义理论建立在科学理论的基础上。

马克思在《手稿》中论证了工人阶级的社会地位与历史作用。马克思借助工资、资本、异化劳动等范畴对资本主义社会中的革命阶级——工人阶级进行了详细分析，论证了它的社会地位和历史使命。在资本主义社会里，由于劳动与资本分离和资本家占有生产资料，工人不得不出卖自己的劳动，从而使自己处于从属于资本家的、受剥削被压迫的地位。马克思通过分析工人与资本家的对立与斗争，说明了工人的贫困境

---

① 马克思：《1844年经济学哲学手稿》，北京：人民出版社，2018年，第74页。

况根本上是由资本主义私有制造成的，工人在资本主义的任何发展状况下都无法摆脱贫困的境地，因此只能消灭资本主义制度，这是工人阶级的历史使命。

（二）初步阐释辩证唯物主义和历史唯物主义的基本原理

在写作《手稿》之前，马克思发表于《莱茵报》和《德法年鉴》上的文章以及《黑格尔法哲学批判》等著作，都提出过一些有关辩证唯物主义和历史唯物主义的思想观点，但并没有上升到基本原理的高度。而在《手稿》的写作中，由于马克思深入地考察和批判了政治经济学，认识到物质生产活动对全部社会生活产生的决定性作用，认识到劳动和劳动者在人类历史发展中的决定性作用，才对辩证唯物主义和历史唯物主义基本原理有了进一步的深入阐释。

马克思在《手稿》中不仅对唯心主义进行了批驳，也对旧唯物主义进行了扬弃，初步阐释了辩证唯物主义。在《手稿》写作之前，即写作《黑格尔法哲学批判》时，马克思已明显受到费尔巴哈哲学的影响，转向了唯物主义。而在写作《手稿》的过程中，马克思对意识和存在问题进行了进一步分析，不仅同唯心主义划清了界限，同时与旧唯物主义划清了界限，“思维和存在虽有区别，但同时彼此又处于统一中”[①]，这种统一在实践中，首先是在物质生产中实现的人与自然界的统一。这种实践的观点与机械的、形而上学的旧唯物主义具有质的区别。

马克思在《手稿》中创立了以实践为基础的认识论，并把

① 马克思：《1844年经济学哲学手稿》，北京：人民出版社，2018年，第81页。

认识论同历史观统一起来，初步阐释了历史唯物主义的基本原理。首先，马克思在《手稿》中论述了生产劳动是人类与人类社会形成和人区别于动物的根本标志，是人类自身与人类社会存在和发展的基础，这实际上说明了人类社会发展史首先是生产发展的历史这一重要原理。其次，马克思在《手稿》中把存在决定意识的一般唯物主义观点用于分析社会历史问题，接近于提出社会存在决定社会意识、经济基础决定上层建筑的历史唯物主义基本原理。他说："这种物质的、直接感性的私有财产，是异化了的人的生命的物质的、感性的表现。私有财产的运动——生产和消费——是迄今为止全部生产的运动的感性展现，就是说，是人的实现或人的现实。宗教、家庭、国家、法、道德、科学、艺术等等，都不过是生产的一些特殊的方式，并且受生产的普遍规律的支配。"①此外，马克思还分析了科学技术在生产过程中发挥的巨大作用，"自然科学却通过工业日益在实践上进入人的生活，改造人的生活，并为人的解放作准备，尽管它不得不直接地使非人化充分发展"②。这表明马克思初步论证了生产力发展同人类解放的辩证关系。

（三）开始科学地论证共产主义

在写作《手稿》之前，马克思已经对当时社会上的一些共产主义和社会主义的思想进行过研究和表态，但那些研究和表态并不是立足于经济理论之上研究资本主义社会矛盾运动的结果。而在《手稿》中，马克思虽然还没有达到运用成熟的经济理论对共产主义进行科学论证的地步，但是已经明确地

---

① 马克思：《1844年经济学哲学手稿》，北京：人民出版社，2018年，第78页。

② 马克思：《1844年经济学哲学手稿》，北京：人民出版社，2018年，第86页。

向着这一方向迈出了第一步。

马克思在《手稿》中，通过剖析资本主义社会的阶级关系，说明了共产主义是资本主义社会内部矛盾运动的产物。在资本主义社会中，资本主义生产方式决定了劳动与资本的矛盾必然带来资本主义社会内部无产阶级同资产阶级的斗争，而共产主义是劳动与资本、工人与资本家对立与斗争的必然产物，是“整个关系的顶点、最高阶段和灭亡”。同时，马克思还表明，私有制运动为共产主义社会的产生准备了必要的前提：“通过私有财产及其富有和贫困——或物质的和精神的富有和贫困——的运动，正在生成的社会发现这种形成所需的全部材料；同样，已经生成的社会创造着具有人的本质的这种全部丰富性的人，创造着具有丰富的、全面而深刻的感觉的人作为这个社会的恒久的现实。”①

马克思在《手稿》中说明了共产主义社会替代资本主义社会是社会发展的必然规律。他既分析了资本主义社会取代封建社会的进步性，又指出了其过渡性。“分工和交换是私有财产的形式，这一情况恰恰包含着双重证明：一方面人的生命为了本身的实现曾经需要私有财产；另一方面人的生命现在需要消灭私有财产。”②因此，资本主义必然会被共产主义取代，而共产主义则是人的解放和复归的一个现实的、对下一段历史发展来说是必然的环节。同时，马克思还指出，实现共产主义的过程，正是工人阶级进行革命斗争的过程，是一个客观的、感性实践的过程，“对异化的扬弃只有通过付诸实行的共

① 马克思：《1844年经济学哲学手稿》，北京：人民出版社，2018年，第84页。
② 马克思：《1844年经济学哲学手稿》，北京：人民出版社，2018年，第135页。

产主义才能完成。要扬弃私有财产的思想，有思想上的共产主义就完全够了。而要扬弃现实的私有财产，则必须有现实的共产主义行动。历史将会带来这种共产主义行动，而我们在思想中已经认识到的那正在进行自我扬弃的运动，在现实中将经历一个极其艰难而漫长的过程”[①]。

二、《手稿》在西方学界引发的“两个马克思”之争

除了生前公开出版的著作，马克思留下了大量手稿，因手稿本身的特殊性，后世的研究者们对这些手稿的编排和解读也充满了分歧和争议，《手稿》即为其中之一。《手稿》尽管沉寂了90年之久，但在它重新被人们“发现”之后，引发了马克思思想研究史上的一场论战。这场论战便是西方学者从《手稿》中解读出的关于“两个马克思”问题的争论。

在《手稿》出版之前，马克思的形象既是创作《资本论》的政治经济学家，也是《共产党宣言》中展现的一位激情的革命者，《手稿》则展示了马克思的一种全新形象——一位谈论人类道德和未来的哲学家和人道主义者。在20世纪中叶的西方学界，伴随“福利国家制度”或者说“消费社会”的形成，日常生活中的“物化”已经成为人们的直接感受。西方马克思主义者格奥尔格·卢卡奇、现象学大师马丁·海德格尔、存在主义理论家让-保罗·萨特和批判理论的旗手西奥多·阿多诺以及精神分析学家赫伯特·马尔库塞等从不同角度对“物化”现象展开了批判性考察。因此，在这样一个思想氛围中，以“异化劳动”

① 马克思：《1844年经济学哲学手稿》，北京：人民出版社，2018年，第126页。

为主题的《手稿》引起了研究热也就不足为奇了。

同时，因为写作《手稿》之时马克思仅26岁，关注这部《手稿》，尤其关注《手稿》中异化批判主题的研究者便以“青年马克思”这一术语界定《手稿》中存在的人本主义的问题，与传统的苏联马克思主义研究中存在的关注阶级斗争和社会革命的“成熟马克思”或“老年马克思”区别开来。

（一）两个马克思：“人道主义”是马克思主义思想的最高峰

在1923年，西方马克思主义的创立者卢卡奇出版了《历史与阶级意识》一书，其中强调人及其意识在历史中的能动作用的观点对当时西方学界产生了巨大的影响，但是，这种观点并不能在当时已出版的马克思的著作中找到理论依据。直到1932年《手稿》公开问世，西方学者认为在《手稿》中他们找到了所需要的理论支持。为了进一步论证他们所支持的观点的“科学性”，一些西方学者提出《手稿》中人道主义的马克思才是“真正的马克思”，由此出现了人道主义化的马克思主义思潮。

而在人道主义的马克思主义思潮中，影响最为深远的应是“两个马克思”论。支持“两个马克思”的学者对《手稿》进行了过度解读，甚至将《手稿》与后来马克思所写的著作对立起来，试图否定阶级斗争理论、剩余价值学说的马克思主义。如有观点认为：《德意志意识形态》中马克思本人的观点极少，《资本论》也不完全是马克思的思想，而《手稿》中的人道主义理论才真正代表了马克思的思想。“两个马克思”论的支持者齐·朗兹胡特提到，“全面地看看马克思三十岁以前的著作，就会更加清楚：马克思精神世界的全部丰富内容，被迄今为止的马克思思想的阐述者缩小到何等狭小的范围，被‘唯物主义地’弄得多么贫乏”，“恢复马克思主义的人道主义的全部丰富内容已成了‘当务之急’”[①]。

而在20世纪50年代之后，这种完全否定马克思成熟时期的著作的观点逐渐消失，被“青年马克思”和“成熟马克思”统一于人道主义的观点所取代。但是，这种论点表面上没有贬低和否定马克思的后期著作，实际上仍然还是把青年马克思和成熟马克思分开了，且完全无视了马克思在《手稿》时期与后来著作中呈现的思想转变，简单地将人道主义等同于马克思主义，本质上与前述的观点并无不同。

不论是“真正的马克思是人道主义的马克思”的观点，还是“青年马克思和成熟马克思统一于人道主义”的观点，都是西方学者从各自的理论流派的立场出发，依据自身的需求去解读《手稿》，而不是从文本出发、从马克思主义的立场出发理解《手稿》。他们的目的，实际上是借对《手稿》的诠释发表自己的观点，从而把《手稿》以及整个马克思主义都改造成资本主义社会也可以接受的东西。

（二）两个马克思：早期的人道主义与晚期的历史唯物主义

20世纪60年代以后，西方学界又出现了“反人道主义”的思潮，其中最为著名的是法国结构主义学派的阿尔都塞。阿尔都塞认为“人”“异化”等哲学术语是马克思在早期著作里的

① 复旦大学哲学系现代西方哲学研究室编译：《西方学者论〈一八四四年经济学—哲学手稿〉》，上海：复旦大学出版社，1983年，第4页。

提法，在后期的著作中已鲜少出现，这说明马克思本人已经抛弃了这些陈旧的提法。但是那些支持人道主义的马克思的学者，试图重提并将“人性”“异化”等术语放在马克思主义理论体系中最重要的位置，严重影响了对马克思主义的正确理解。

为了捍卫马克思主义理论的科学性，阿尔都塞提出了“两个马克思”断裂说。他以1845年为界，把马克思的思想分为两个阶段，即早期的马克思以人道主义异化理论为核心，是一个“人道主义的马克思”；成熟的马克思以政治经济学为核心，是一个“科学的马克思”。“两个马克思”断裂前的著作是马克思青年时期的所有著作（包括《神圣家族》）；断裂时的两本著作是《关于费尔巴哈的提纲》和《德意志意识形态》；断裂期向成熟期过渡的著作是写于1845年至1857的著作，即包括《哲学的贫困》《共产党宣言》在内的所有著作；“成熟的马克思”时期的著作则是1857年至1883年间的所有著作（包括《资本论》）。

阿尔都塞虽然反驳了人道主义思潮将马克思的思想归于人道主义的观点，提出《手稿》是马克思思想黎明前的黑暗的著作，在某种程度上有一定的进步意义，但他机械地割裂了马克思不同时期的思想，忽视了马克思思想的整体发展过程。时至今日，学界对于《手稿》的思想的争论仍在继续，重新阅读和研究《手稿》在当今时代仍具有积极意义。

三、《手稿》对新时代中国特色社会主义实践的启示

《手稿》为新时代中国特色社会主义实践提供了许多建设性启示，集中表现为以人民为中心的立场和共享发展理念。以人民为中心的立场是高度抽象的指导性理念，是引导经济、

政治、文化、社会、生态文明各领域工作应当遵循的宏观参照和价值准绳。共享发展理念的内涵,则是在新时代中国特色社会主义实践中更倾向于对实践范畴内的现实而具体的内容规定。

（一）以人民为中心:扬弃抽象的人后生成“现实的人”

马克思在《手稿》中详尽地论述了资本主义私有财产制度中的普遍异化现象,在剖析劳动异化中揭示了人的异化处境,认为通过“对私有财产的积极的扬弃,作为对人的生命的占有,是对一切异化的积极的扬弃,从而是人从宗教、家庭、国家等等向自己的合乎人性的存在即社会的存在的复归”[①]。要完成对私有财产的积极扬弃,实现共同占有的共产主义,需要首先扬弃异化劳动状态中的人的抽象性,承认人作为一种类存在的社会属性。个体是社会存在物,对社会性的强调是生成“现实的人”的基质。资本逻辑操控下的人是异化的、单向度的人,只有扬弃异化劳动,肯定人的社会性与劳动的自觉自愿性,才是对人的本质的真正占有和对异化与抽象的扬弃。这就是说,当社会性对人来说成为他的真正的本质时,人才不会在自己的对象中迷失自身,才能实现“人的现实的占有”和“人的现实的实现”。在对私有财产和异化劳动的积极扬弃中实现对人的社会性的重新占有,就能不断生产出社会主义性质的共同体和共产主义式的社会关系。社会性和对象性关系的确证是人的主体性真正生成的关键,因为“自然界的人的本质只有对社会的人来说才是存在的”,也“只有在

① 马克思:《1844年经济学哲学手稿》,北京:人民出版社,2018年,第78—79页。

社会中，人的自然的存在对他来说才是人的合乎人性的存在”[1]。

《手稿》闪耀着共产主义的启蒙光辉，其内含的共产主义理论和对真正的人的向往是指引当代中国马克思主义理论发展的一盏明灯。党的十八届五中全会首次提出以人民为中心的共享发展理念，并在党的十九大报告中对其进行了深入阐述。“以人民为中心”理念的提出集中体现了中国共产党的马克思主义基因。对“人的全面发展”的重视与维护体现了中国共产党尊重人民、相信人民、依靠人民、为了人民的思想路线，是对马克思主义唯物史观的时代回应与现实关照，彰显了坚持人民主体地位和人民至上的价值取向。坚持以人民为中心的理念，不断解放人民群众的思想，培养人民群众的共同体意识，激发人民群众的创造力与劳动自觉性意识，能够克服市场经济中资本逻辑对人的本质的侵蚀，实现对异化劳动的扬弃。在新时代中国特色社会主义伟大实践中，人的社会性复归就是不断唱响尊重人民、维护人民之歌，强化全社会的人文性底色，增进个体社会参与感，加强对以个体为基础的共同体的社会性联系和对象性关系的塑造，才能实现“现实的人”对自身本质的真正占有和全面复归。

（二）共享发展：扬弃异化劳动后生成“对象化劳动”

如前所述，马克思在《手稿》中回顾了封建制度中存在的、围绕地租产生的土地所有者和租地农场主和农奴等群体的社会矛盾，揭示了以劳动为基础的发展异化。在资本主义私有

① 马克思：《1844年经济学哲学手稿》，北京：人民出版社，2018年，第79页。

制社会，异化程度深刻体现在一方面劳动手段化和人的对象性本质抽象化，另一方面劳动资本化和工人资本化。工人的劳动不是体现为第一需要和对自身本质的占有，而是作为求得生存的被迫选择，因此工人的劳动异化处境，使工人永远无法真正平等自由地参与到社会产品的分配、交换和消费中。与此相对应的是，资本家对工人劳动成果的非道德占有与掠夺。

鉴于现实的历史经验与教训，党的十八届五中全会提出共享发展理念，这无疑是《手稿》中的理论批判与实践构想的当代中国实践。共享发展理念的本质要求是对异化劳动和不平衡、不全面的发展的积极扬弃与及时调整，彰显出对重新建构新时代的对象化劳动的深度认同；具体表现为，共享发展理念在其受益者方面是无一例外的当代全体人民，在发展内容方面是包括经济、政治、文化、社会和生态文明在内的所有发展成果。共享发展理念作为五大发展理念的价值要义是对以人民为中心思想的重申，明确回答了发展为了谁、如何发展等时代课题。劳动是发展的根本推动力。共享发展理念要求克服盲目生产和片面劳动等发展方式，强调发展的价值性和劳动的对象性，在注重劳动者劳动过程的价值性的同时，注重劳动成果的价值性，避免再次陷入“非现实的、无对象的”抽象化发展窠臼。具体而言，在发展中更加注重提升居民收入在国民收入中所占比重，促进公共服务全面化、纵深化；更加注重低收入者发展权的维护、实现与保障工作，大力发展民生事业，推进共享社会的完成与实现。

延伸阅读

(1) 习近平:《决胜全面建成小康社会 夺取新时代中国特色社会主义伟大胜利》,《人民日报》2017年10月19日。

(2)《纪念马克思诞辰200周年大会在京举行 习近平发表重要讲话》,《人民日报》2018年5月5日。

后　记

2019年5月31日，习近平总书记在“不忘初心、牢记使命”主题教育工作会议上指出，“开展这次主题教育，就是要坚持思想建党、理论强党，坚持学思用贯通、知信行统一，推动广大党员干部全面系统学、深入思考学、联系实际学”。坚持思想建党、理论强党的本质在于坚持、坚信、坚守、坚定马克思主义理论，这就要学深、悟透马克思主义理论。学深、悟透马克思主义理论的首要途径就是读原著原文。恩格斯在《资本论》第三卷的序言中指出，“一个人如果想研究科学问题，首先要学会按照作者写作的原样去阅读自己要加以利用的著作，并且首先不要读出原著中没有的东西”。阅读马克思的经典原著，包括《1844年经济学哲学手稿》也应如此，且因这部手稿本身的未完成性、思想的过渡性、批判的原创性，在阅读时更应注重对原文原义的解读。

本册在注重文本研究的同时，采用历史与逻辑、理论与现实相结合的写作方式，系统地分析了这部伟大著作的诞生、梗概、主题和意义。《1844年经济学哲学手稿》是马克思新世界观的开端，是马克思对以往历史和理论问题进行清算的最初起点，对广大读者了解马克思的思想发展具有重大意义和价值。本册的编写亦希望对广大马克思主义研究者深入理解这部《手稿》有所帮助。

感谢我的“马克思主义基本原理”方向的四位博士生金梦佳、王丽霞、赵馨姝、李家祥为本册内容编写所付出的努力。

敬请各位读者和专家批评指正。

浙江大学马克思主义学院　张彦

2019年12月于求是园